Pedro Dulci me ajudou de diversas formas [illegible] me fez refletir sobre como tenho pensado a meu respeito e acerca do meu lugar no mundo; levou-me a considerar meu papel e minha atuação junto ao povo de Deus e desafiou-me sobre o que espero ser e fazer com minha vida. Há boas respostas neste livro. Com seu estilo gostoso de ler e cheio de conhecimento relevante, Pedro Dulci nos conduz por reflexões práticas e importantes. O autor tem facilidade de explicar com clareza assuntos complexos e vai de bolo de cenoura a aspectos modais com requinte e boa escrita. Ele é fiel ao Senhor ao aplicar ao nosso tempo as profundas ideias com que trabalha e ao nos exortar a sermos mais fiéis ao nosso Senhor. Seu livro é, no final das contas, sobre a santificação da mente. Recomendo que leia!

EMILIO GAROFALO NETO

Pastor da Igreja Presbiteriana Semear, em Brasília (DF), doutor em Filosofia pelo Reformed Theological Seminary (EUA), professor de Teologia Sistemática no Seminário Presbiteriano de Brasília e professor visitante em Teologia Pastoral no CPAJ

Jesus Cristo nos exorta a amar a Deus, inclusive, com o nosso entendimento. Ainda que muitos cristãos saibam disso, a maioria não sabe como fazê-lo. Neste livro, o inteligente e muito culto Pedro Dulci trilha um caminho de sabedoria a fim de mostrar como utilizar a inteligência para a glória de Deus. Com uma redação informal e cativante, e trazendo *insights* de pensadores diversos, Dulci conduz o leitor a utilizar o intelecto, esse dom de Deus, para o Senhor. Que a leitura promova no leitor uma renovação da mente, na medida em que aprenda a pensar a partir de um coração transformado.

HEBER CARLOS DE CAMPOS JR.

Pastor na Igreja Presbiteriana Aliança, em Limeira (SP), doutor em Teologia Histórica pelo Calvin Theological Seminary (EUA) e professor do Seminário JMC, em São Paulo (SP)

Recomendar um livro de Pedro Dulci é como indicar uma viagem a um lugar que o marcou. Difícil seria não recomendar. Sei que sou suspeito, em razão da amizade profunda que temos, mas também sou um grande admirador de sua rica capacidade de traduzir complexidades com simplicidade, como já o vi fazer em aulas marcantes a que compareci como estudante. Você está diante de um assunto profundo e aparentemente complicado, que é exposto de maneira compreensível e criativa. Mergulhe nesta obra e assuma o compromisso de ser um bom mordomo da inteligência que Deus lhe deu.

RAFAEL BALESTRA CASSIANO

Pastor coordenador da Igreja Sal da Terra, em Goiânia (GO) e coordenador do Movimento Mosaico

INTELIGÊNCIA PRA QUÊ?

Como usar seu cérebro para a glória de Deus

—

PEDRO DULCI

Publicado por Editora Mundo Cristão

Os textos das referências bíblicas foram extraídos da *Nova Versão Transformadora* (NVT), da Editora Mundo Cristão, salvo indicação específica. Usado com permissão da Tyndale House Publishers, Inc. Eventuais destaques nos textos bíblicos e citações em geral referem-se a grifos do autor.

Edição
Maurício Zágari
Revisão
Natália Custódio
Produção
Felipe Marques
Colaboração
Ana Paz
Diagramação
Luciana Di Iorio

CIP-Brasil. Catalogação na publicação
Sindicato Nacional dos Editores de Livros, RJ

D915i

Dulci, Pedro
Inteligência pra quê? : como usar seu cérebro para a glória de Deus / Pedro Dulci. - 1. ed. - São Paulo : Mundo Cristão, 2019.
176 p.
ISBN 978-85-433-0374-1

1. Inteligência. 2. Vida cristã. 3. Cristianismo - Filosofia. 4. Cristianismo e cultura. I. Título.

19-55797 CDD: 261
CDU: 27-43

Categoria: Teologia
1ª edição: abril de 2019

Publicado no Brasil com todos os direitos reservados por:

Editora Mundo Cristão
Rua Antônio Carlos Tacconi, 69
São Paulo, SP, Brasil
CEP 04810-020
Telefone: (11) 2127-4147
www.mundocristao.com.br

Para Benjamim Borges Dulci, na
esperança de que sua inteligência
seja usada para a glória de Deus.

Sumário

Agradecimentos

Este livro não é uma receita de bolo, escrita por um intelectual sentado em sua torre de marfim, ditando para todos os leitores o caminho pronto para ser trilhado em qualquer lugar. Em vez disso, as páginas a seguir são fruto de várias horas de companheirismo e discipulado intelectual intencional com cinco homens de inteligência incrível. Tentei fazer com eles o que Jesus nos ensinou: investir muito tempo em poucas pessoas. Sou imensamente grato por terem dedicado a mim suas horas e, mais importante, sua amizade. Obrigado pelas discussões, leituras e sugestões. Vocês são especiais e, mais que um livro, minha melhor contribuição para a Igreja brasileira são vocês! Meus primeiros e mais sinceros agradecimentos, portanto, ficam para Bruno Maroni, Douglas Quintiliano, Danilo Neves de Almeida, Guilherme Barcelos, Pedro Alcântara e Renan Vianna. Sem a amizade de vocês, estas páginas nunca seriam publicadas.

Também sou imensamente grato a toda a equipe da Editora Mundo Cristão, que, mesmo sendo uma editora grande e experiente, acredita em autores pequenos e inexperientes como eu. Em especial, ao meu amigo e editor Maurício Zágari, que tem a belíssima habilidade de deixar os nossos textos muito melhores. A todos vocês, meus sinceros agradecimentos. Desejo vida longa e próspera à Mundo Cristão!

Por fim, não poderia deixar de agradecer à Carol e ao Benjamim, que, generosamente, abrem mão de muitas horas de conversas e brincadeiras juntos para que livros assim nasçam. Amo vocês!

Prefácio

Há livros para pensar as coisas — a vida, a natureza, a ciência, a história e tantas mais — e há livros para pensar o pensamento. E, sim, é necessário! Afinal, neste mundo de Deus há uma infinidade de coisas, e uma delas é a sua inteligência, ou "cérebro", ou *mente*. Esse estranho ser, a mente, tem vida própria; tem belezas, doenças e saúde próprias; e pode ser uma bênção ou gerar muita confusão.

Há muitos bons livros sobre a vida intelectual, as chamadas obras "propedêuticas"; clássicos como o de Sertillanges ou, entre autores mais próximos da comunidade cristã evangélica, Harry Blamires, James Sire, ou Nicholas Wolterstorff. Mas a vida intelectual tem seus contextos, momentos e desafios e, a cada geração, os cristãos precisam aprender a pensar — de novo, de novo e de novo.

Qual não foi a minha alegria ao descobrir aqui uma obra que versa sobre "como pensar"! Mas não apenas isso: uma obra sobre como pensar *como cristão*, de forma distintamente cristã. E por que alguém deveria se preocupar com isso? Porque a lei divina estabelece que devemos servir a Deus como todo o nosso entendimento. Como poderíamos nos oferecer a Deus deixando o cérebro de fora?

Que os cristãos contemporâneos precisam desesperadamente de orientação intelectual é algo que está além de qualquer discussão para quem frequenta a fronteira entre a fé da

Igreja e a intelectualidade contemporânea. A necessidade é gritante e urgente.

O breve opúsculo de Pedro Dulci cumpre muito bem esse papel de orientação para uma vida intelectual cristã, considerando as realidades e urgências deste momento. A obra tem caráter ecumênico, "católico", ao mesmo tempo em que honra, especialmente, intelectuais cristãos reformacionais como Dooyeweerd, Schuurman, Plantinga e Schaeffer. Com isso, o autor põe o leitor brasileiro em contato com uma tradição de vida intelectual muito saudável e rica. Pois é assim mesmo que se aprende a pensar: caminhando junto com quem soube fazer, lendo, ouvindo, imitando, subindo nos ombros desses grandões.

Se alguém espera, no entanto, uma discussão metodológica, a grata surpresa é encontrar um livro de devoção. Seu assunto não é, precisamente, "como pensar", mas como pensar *na presença de Deus*.

O autor nos faz compreender que o anti-intelectualismo é um pecado e uma fuga de nossa vocação cristã; que não devemos ser intelectualmente "bipolares"; que somos seres integrais e não dá para separar fé e vida intelectual; que tudo na vida intelectual começa e termina no coração; que todo projeto intelectual tem um ponto de partida de fé, "confessional", e o coração regenerado precisa pensar diferente; e que esse compromisso da mente cristã não é só coisa de teólogo, mas o chamado de todos os cristãos.

Nos dois capítulos finais temos o que um amigo descreveu como "o palmito do livro": a dimensão da formação espiritual. Não que esse tema não estivesse implícito nos capítulos anteriores; pelo contrário, eles formam juntos a sustentação filosófico-teológica para a grande conclusão. O capítulo seis começa com a citação da famosa carta de Barth, de 1951, em que ele recusa — com dureza —a comunhão espiritual com Schaeffer, sob a acusação de que ele tinha uma teologia condenatória e baseada no "repúdio". Segundo vários amigos e pessoas próximas de Schaeffer, é possível que essa carta tenha precipitado uma crise que já estava instaurada em seu coração e que o levou, finalmente, a abandonar a missão fundamentalista na qual militava e a fundar com a esposa, Edith, a comunidade L'Abri, na Suíça, com uma proposta completamente diferente.

Mas o que mudou? A descoberta da "verdadeira espiritualidade" como o solo no qual a vida intelectual precisa se desenvolver; uma espiritualidade feita de realidade divina e de relacionamentos tocados pelo sobrenatural. Francis Schaeffer se torna, assim, não um modelo de intelectualidade acadêmica, mas de vida intelectual realmente cristã. Como costumamos dizer no L'Abri: o melhor de Schaeffer não é a sua apologética, mas sua proposta de vida cristã. Ou melhor: sua apologética nasce de sua teologia espiritual, como uma demonstração viva da realidade de Deus.

É assim que o livro caminha para o final: discutindo como a vida intelectual pode servir à Igreja e a esse projeto divino da *demonstração* e — surpresa! — como Nietzsche pode nos ajudar a sermos bons intelectuais cristãos.

Pedro Dulci tem me ajudado a pensar, e ajudou mais um pouquinho. Espero que esta obra caia nas mãos de muita gente, mas penso, especialmente, nos estudantes universitários e de teologia. O movimento evangélico precisa muito pensar melhor e pensar diferente, para a glória de Deus.

Guilherme de Carvalho
Teólogo e pastor, diretor do L'Abri Fellowship Brasil

Introdução

A igreja brasileira tem sido ineficaz na guerra cultural que trava contra a sociedade não cristã. Para demonstrar essa realidade, não é preciso um grande argumento histórico ou filosófico, basta conversar com pais e mães sobre a escola em que desejam que seus filhos estudem. Como capelão de um colégio, escuto com frequência declarações de pessoas que até admiram o clima das escolas cristãs, mas gostariam de ver o processo de ensino e aprendizagem dessas instituições igualado ao das escolas não cristãs que obtêm os melhores índices de aprovação nas universidades mais cobiçadas do país. Nesse momento, sempre surge a pergunta: inteligência para quê? Estamos educando nossos filhos para a universidade e o mercado de trabalho, mas... e depois? Não temos nada a dizer sobre o mundo e as dinâmicas que constituem a realidade criada por Deus? A inteligência tem como finalidade exclusiva nos fazer bem-sucedidos segundo os atuais padrões da sociedade de consumo? E a glória de Deus?

A única preocupação que esses pais parecem ter é que seus filhos ingressem na faculdade e, depois, não usem drogas nem se percam em relações sexuais ilícitas. Não que essas práticas não sejam problemáticas, mas formar profissionais cristãos que pensem da exata mesma forma que seus colegas de profissão não cristãos é sinal de falência intelectual! É prova de que deixamos de adorar a Deus com todo o nosso entendimento.

É inegável que a igreja evangélica brasileira cresce e continuará crescendo nos próximos anos. Mas uma pergunta que nos incomoda é: por que o país não muda apesar do crescimento dessa igreja? Por que os índices de violência, corrupção, pobreza e tantos outros vícios característicos de nossa cultura não sofrem impacto pelo crescimento da igreja evangélica no Brasil? Ao que parece, quando nos convertemos, mudamos de religião, mas não passamos por nenhum tipo de renovação da mente que nos leve a experimentar, em nosso território verde e amarelo, a boa, perfeita e agradável vontade de Deus.

Referindo-se à situação da igreja evangélica nos Estados Unidos, David F. Wells consegue descrever perfeitamente o que acontece em nossa cultura. Ele afirma que o grande aumento de evangélicos nas décadas de 1960 a 1980 deveria ter levado a um renascimento espiritual, com a consequente disseminação da visão de mundo cristã em fábricas, escritórios, universidades, empresas de comunicação e ambientes profissionais de um extremo ao outro do país. Porém, o que se percebe é que a presença de evangélicos na cultura americana "mal causa uma marolinha".[1]

Esse quadro tem sido diagnosticado e denunciado por cada vez mais pessoas. Rod Dreher afirma que há uma vasta ineficiência das igrejas no combate às forças do declínio cultural. Ele identifica uma seletividade dos cristãos quando se trata de entrar em embates culturais: "Por mais que se dissesse que os cristãos conservadores estavam lutando uma guerra cultural, eu raramente via a minha turma brigando de verdade, exceto quando o assunto era aborto ou casamento *gay*".[2] Esse fenômeno aponta para igrejas satisfeitas em fornecer assistência religiosa a uma sociedade cada vez mais consumista que perde, a passos largos, a noção do que significa querer, sentir e pensar como um discípulo de Cristo.

Uma das principais causas para esse fenômeno seria o anti-intelectualismo, que para alguns pensadores é a maior ameaça ao cristianismo evangélico.[3] Anti-intelectualismo é o pensamento que defende a oposição a tudo o que é considerado intelectual ou que diz respeito aos intelectuais. O perigo dessa forma de pensar é que se entrega de bandeja ao "inimigo" o espaço do pensamento criativo. Os defensores do anti-intelectualismo entre cristãos começaram a propor que ser inteligente é incompatível com a fé cristã e, por isso, muitos discípulos de Cristo passaram a acreditar que intelectual bom é intelectual ateu. Com isso, fica claro que, se Deus promove a conversão espiritual, cabe-nos promover a conversão intelectual de muitos cristãos.

O que você encontrará neste livro é, portanto, o trabalho de um evangelista. Aprendi com Francis Schaeffer que, uma vez que todo mundo escuta o evangelho tendo como pano de fundo a cultura em que vive, trabalhar para tornar a fé cristã intelectualmente viável é um serviço de pré-evangelização muito importante. Concordo com J. Gresham Machen, para quem, se a igreja perde a batalha pela inteligência de sua geração, o trabalho de evangelização na geração seguinte se torna muito mais difícil. Portanto, se trabalharmos para que nossa juventude cresça em um ambiente cristão intelectualmente estimulante, a possibilidade de seus contemporâneos estarem abertos para o evangelho de Cristo é bem mais alta. Parte da tarefa dos estudiosos cristãos é ajudar a criar e manter um ambiente cultural no qual o evangelho possa ser ouvido como uma opção intelectual plausível para homens e mulheres pensantes.[4]

A fim de cumprir essa tarefa evangelística e discipuladora, temos de usar bem o cérebro que Deus nos deu. Estimular você a fazer isso é meu objetivo com este livro. Aliás não só meu, pois esta obra é o resultado de um esforço coletivo. Cada capítulo foi lido, relido e muito pensado, durante meses, por um grupo de seis homens que desejam dedicar a vida a usar a inteligência para a glória de Deus. Todos esses rapazes estavam no mesmo momento da sua vida espiritual e tinham interesse de pensar sobre o que era necessário para conduzir nossa inteligência em fidelidade a Deus. A ideia de um "discipulado intelectual" surgiu quando eu pensava sobre as formas de servir a igreja em uma de suas lacunas mais comprometedoras: uma inteligência dirigida pela Palavra de Deus.

Penso que, embora muitos irmãos em Cristo ocupem lugares importantes em diferentes esferas públicas, poucos cumprem sua vocação com uma mente genuinamente bíblica. Este livro não foi escrito somente para eles, mas para toda a Igreja de Cristo, como uma convocação a levarmos a sério a inteligência que Deus nos deu.

Não podemos continuar indignados com a corrupção no governo, a secularização da mídia, a ideologização da educação e as críticas provenientes da arte e da ciência se não estivermos dispostos a discipular a inteligência de líderes políticos, jornalistas, pedagogos, *designers* e cientistas que fazem parte do Corpo de Cristo. Seguindo a mesma motivação dos protestantes, precisamos de "reformadores de opinião". Isso significa gastar bastante tempo com as jovens mentes das nossas comunidades de fé, ensinando-lhes não só o que significa ser um cristão inteligente, mas como desenvolver uma verdadeira inteligência cristã.

Você perceberá que lidar com essas questões é sinônimo de mexer com aquilo que está no mais profundo do ser humano. Afinal, os frutos da nossa atividade intelectual encontram suas raízes na dimensão central da humanidade criada por Deus. É na lealdade do nosso coração que se encontra o destino da nossa inteligência.

1
O compromisso de servir com o que se aprende

Quando pensamos no trabalho das mentes mais brilhantes do mundo, inevitavelmente imaginamos o ambiente dos institutos de pesquisa e centros universitários. É claro que nem todo intelectual é um acadêmico, muito menos a universidade é a atmosfera que mais estimula a vida do intelecto. Mas fazemos essa associação porque, desde a Idade Média, as universidades passaram a ser vistas como o ambiente típico dos intelectuais. Além disso, ainda hoje, muitas pesquisas inovadoras saem da academia. Por isso, apenas para começar a mostrar o que as pessoas têm feito com seu cérebro, vou usar o exemplo da vida universitária típica.

Uma pesquisa recente mostrou que, todos os anos, aproximadamente 1,8 milhão de artigos científicos são publicados em cerca de 28 mil revistas acadêmicas pelo mundo.[1] Ou seja, pouco mais de 4.900 artigos são publicados todos os dias no planeta! Os números mais chocantes, no entanto, não se referem às publicações em si, mas à quantidade de seus leitores. Pesquisas indicam que, após vários meses de análises até a publicação de um estudo científico, uma média de apenas dez pessoas realmente lê cada artigo acadêmico, dentre os quais estão os autores, os revisores paritários que avaliaram o texto e os editores da revista.[2]

A situação é pior quando se trata de uma dissertação de mestrado ou tese de doutorado. Além do autor, elas são lidas e avaliadas pelo orientador e dois ou três professores convidados para a avaliação final. Dificilmente mais alguém tomará conhecimento do que foi produzido por aquele pesquisador.

Tudo isso significa dizer que um professor universitário gasta, em média, de três a seis meses escrevendo um texto de 25 páginas que talvez nunca seja lido ou citado por nenhum colega de profissão! Naturalmente, todo esse trabalho não lido terá impacto zero na esfera pública. Conclusão: grande parte das mentes mais brilhantes do mundo não está servindo a sociedade nem influenciando os debates públicos.

Para quem está fora do ambiente universitário, todo esse esforço intelectual não faz sentido e parece até mesmo inútil. É totalmente legítimo questionar essa epidemia de pesquisas científicas desconhecidas do grande público. Por que tantas pessoas competentes usam os melhores dias de sua vida em um esforço que, em sua maioria, traz pouco ou nenhum resultado à comunidade científica e ao bem comum?

Pelo menos dois fatores são responsáveis pela perpetuação desse fenômeno. Primeiro, a estabilidade profissional, uma vez que a classificação de universidades e institutos de pesquisa bem como o sistema de avaliação dos pesquisadores estão diretamente ligadas à quantidade de publicações em revistas acadêmicas especializadas, independentemente da qualidade dos artigos. Assim, no afã de se tornarem intelectuais reconhecidos, muitos não só publicam textos irrelevantes, como também falsificados.

Um protesto muito inteligente foi do físico americano Alan Sokal, que em 1996 publicou em uma revista reconhecida um artigo acadêmico deliberadamente incoerente, visando confundir os leitores e mostrar que qualquer tipo de trabalho podia ser publicado apenas para alimentar esse ritmo alucinante de publicações. No mesmo dia ele publicou em outra revista o absurdo da falta de rigor daquela revista, cujo conselho editorial incluía filósofos pós-modernos celebradíssimos no Brasil, como Andrew Ross e o marxista Fredric Jameson, que não perceberam as falhas.[3] Muitos protestos semelhantes foram realizados nos anos seguintes.[4] No Brasil, também houve um esquema envolvendo quatro publicações brasileiras, acusadas de praticar citações cruzadas, isto é, quando uma publicação menciona outra várias vezes para aumentar o "impacto" da pesquisa e, consequentemente, o prestígio dos autores.[5]

Tudo isso mostra que a vida intelectual tem suas pressões e seus predadores.

O segundo fator responsável pela perpetuação do fenômeno da produção acadêmica improdutiva é a crescente especialização nos estudos científicos, que torna abundante o número de textos sobre assuntos muito específicos. Os moldes do trabalho intelectual praticado nos institutos de pesquisa mais prestigiados do mundo exigem que um indivíduo saiba cada vez mais sobre cada vez menos.

Por tudo isso, o impacto da maioria dessa produção intelectual é minúsculo, mesmo dentro da comunidade científica, que como dissemos não a lê. A realidade é que a competição e a procura por estabilidade individual do professor universitário não favorece o reconhecimento mútuo. Em vez disso, na constante busca por posições, proteção de ideias e afirmação de seu legado pessoal, não raro acaba desembocando em uma vida egocêntrica, isolada e ingrata.[6]

Além disso, e ainda mais drástico, essa prática intelectual tampouco contribui com a sociedade civil nem afeta a tomada de decisão de governos e órgãos públicos. A situação se agrava quando percebemos que alguns intelectuais intencionalmente evitam que suas pesquisas sejam publicadas por meios de divulgação populares, sob a crença de que traduzir as pesquisas em linguagem cotidiana seria transformá-las em uma espécie de ativismo panfletário. Esse medo de se tornar popular ultrapassa a preferência pessoal do professor universitário e se torna uma regra não escrita da vida acadêmica cotidiana.

Assim, simplesmente não se pode citar autores que caíram nas graças de um público não acadêmico, como Zygmunt Bauman ou Byung-Chul Han. Isso sem falar de intelectuais brasileiros, como Luiz Felipe Pondé ou Mário Sérgio Cortella. Caso eles apareçam em textos e comunicações, os orientadores de mestrado e doutorado torcem o nariz e dizem que esse tipo de livro é "literatura de aeroporto", que serve apenas para entreter e não instruir.

Vaidade na vida intelectual

O que todo esse processo gera na vida do intelectual? Que tipo de pensador está sendo formado? Quais são os perfis que não sobrevivem ao sistema científico atual?

Ao menos dois exemplos são recorrentes em universidades e institutos de pesquisa. Primeiro, acadêmicos que não têm capacidade de investigar, escrever e publicar estudos originais em sua área e que, ainda assim, desejam se submeter a esse sistema educacional. Fazem o que Daniel Lattier chama de "plágio criativo", isto é, a recombinação de pesquisas anteriores, acrescidas de uma nova tese. Nessa forma de aprender e escrever, o acadêmico não apenas reproduz um texto de outro, mas ainda copia estilo, argumentos e até exemplos, o que evidencia, entre outras coisas, sua falta de entendimento sobre o pouco que sabe e sua insegurança para se afastar da formulação do autor copiado.

Segundo, intelectuais que de fato conseguem trazer contribuições inovadoras, criativas e evidentemente brilhantes. São professores que ensinam bem e cativam os estudantes, escrevem com maestria e têm artigos publicados pelas melhores revistas científicas do mundo. São os verdadeiros intelectuais de nossas universidades, mesmo que não gostem de receber esse título. Para esse grupo específico, o perigo não é o de produzir pesquisas que ninguém lê ou escrever textos irrelevantes, mas a vaidade intelectual, que se materializa na atitude recorrente de tornar-se um "sabichão" profissional, um pretenso "dono da verdade" de determinado assunto que domina. Alimentados pela fama de genialidade, querem manter-se afastados dos colegas (pois os julgam intelectualmente inferiores), dos alunos iniciantes e da sociedade civil (que julgam não entender o valor de sua pesquisa). Consideram-se "os ungidos", na pior acepção da palavra.

Infelizmente, essa realidade tão comum não condiz com o que a vida intelectual foi no passado. Em um ponto muito específico da história do Ocidente, a postura modificou-se radicalmente e deu lugar a esse tipo de prática, recorrente nas universidades.[7] Se passarmos os olhos em qualquer livro sobre o surgimento das principais universidades do mundo, veremos que elas estavam alicerçadas na formação intelectual em sua acepção clássica. E o mais interessante é que esses centros de estudos originaram-se, em sua maioria, por iniciativa de comunidades cristãs.

Ao escrever sobre a transformação pela qual as universidades passaram entre 1865 e 1900, Mark Noll mostra que o dinheiro passou a ter um significado imenso na vida acadêmica e, com isso, as comunidades cristãs que fundaram esses centros de estudo deixaram de ditar seus princípios. Na reitoria, o pastor foi substituído pelo empresário, a harmonia entre fé e ciência foi substituída por pesquisa e inovação intelectual, e a reputação acadêmica assumiu o lugar do testemunho fiel.[8]

É claro que não existe nenhum problema em se esforçar para ser um profundo conhecedor da sua especialidade profissional. Não existe nada de errado em demorar seis meses para escrever um texto técnico sobre qualquer assunto. Precisamos de reflexão que fuja da superficialidade. Não tenho nada contra o trabalho científico especializado, o problema é a falta de esforço dos intelectuais contemporâneos em se informar e conhecer mais além de sua área de interesse. Não podemos assistir às universidades e aos centros de pesquisa, que são os principais veículos de formação dos intelectuais de uma sociedade, serem transformados em ambientes da redução da inteligência a uma agenda cada vez mais elitista, secularizada e distante das questões da sociedade como um todo.

É necessário traduzir os resultados das pesquisas científicas para a sociedade, tornando-os compreensíveis e úteis. A vida intelectual não faz sentido se não for conduzida dessa forma. Nossos centros educacionais não precisam ser conhecidos como fábricas de egos inflados e plágios criativos. A história precisa ser outra, e ela só poderá começar pelo despertamento da inteligência cristã.

Vícios e deformações na condução intelectual cristã

Neste ponto, podemos dar um passo além e perguntar: e quanto à vida intelectual dos cristãos? Nossas práticas científicas e profissionais são pautadas pelos mesmos critérios que acabamos de apresentar? Nossa pesquisa científica glorifica a Deus ou apenas alimenta nosso currículo? Quando voltamos os olhos para a vida intelectual daqueles que fazem parte da igreja evangélica, deparamos com pelo menos três fenômenos.

Anti-intelectualismo

Primeiro, *o anti-intelectualismo*. Mark Noll mostra as raízes culturais e teológicas da incapacidade dos evangélicos americanos de integrar vida religiosa e intelectual, o que pode ser aplicado sem grandes dificuldades ao panorama brasileiro. Ele diz que o escândalo da mente evangélica é que, na prática, não existe muito de uma mente evangélica.

Os evangélicos americanos possuem uma gama extraordinária de virtudes, entre as quais grande esforço para disseminar a mensagem da salvação em Cristo, coração generoso em favor de indivíduos com dificuldades e liberalidade para sustentar inúmeras igrejas e comunidades paraeclesiásticas. Em contrapartida, há várias gerações vêm falhando notavelmente em sustentar a vida intelectual séria: se, por um lado, nutriram milhões de crentes nas verdades simples do evangelho, por outro abandonaram amplamente as universidades, as artes e outras áreas da "alta" cultura.

Noll defende que, mesmo nos subgrupos mais progressistas e culturalmente sofisticados, o evangelicalismo tem pouco músculo intelectual, seja na América do Norte, seja na América do Sul. Alimentar os famintos, viver com simplicidade e militar contra bombas nucleares são tarefas nas quais diferentes tipos de evangélicos de boa vontade gastam grande energia, mas essas tarefas não contribuem com a vitalidade intelectual. A fraqueza intelectual de grupos evangélicos que se julgam inteligentes se deve ao fato de sua inteligência não ser genuinamente evangélica, da ala progressista da igreja à mais conservadora.

Para vencer o anti-intelectualismo, a igreja precisa de muito mais do que só ler um livro ou outro de filósofos como Olavo de Carvalho ou Antonio Gramsci. Na realidade, temos de manter um pensamento constante, como cristãos, acerca da natureza e do funcionamento de toda realidade natural e cultural.

Quando falo sobre utilizar a inteligência que Deus nos concede, adoto a definição de Mark Noll para a "vida da mente" evangélica: o esforço para pensar como cristão em todo o espectro da aprendizagem moderna, incluindo economia e ciência política, crítica literária e escrita imaginativa, pesquisa histórica e estudos filosóficos, linguística e história da ciência, teoria social e artes. Noll explica que a questão não está no sucesso dos evangélicos na academia moderna, mas em compreender o que significa pensar como cristão sobre a natureza e o funcionamento do mundo físico, o caráter das estruturas sociais humanas (como o governo e a economia), o passado, a natureza da criação artística e as circunstâncias que assistem nossa percepção do mundo fora de nós mesmos. "A falta de exercício da mente para Cristo nessas áreas tornou-se aguda no século 20. Esse fracasso é o escândalo da mente evangélica".[9]

Esse diagnóstico também se aplica a nós. Estamos bem servidos de teólogos e exegetas bíblicos. Basta uma visita às livrarias para observar a quantidade de comentários bíblicos e livros técnicos em teologia, de várias linhas denominacionais, escritos em língua portuguesa. Mas parece que o passo seguinte à formação dessa classe de especialistas em Bíblia não acontece. Temos pouquíssimo esforço dos intelectuais da igreja evangélica em estender seu conhecimento bíblico para a esfera das artes, da ciência, economia, política ou indústria. Uma vez que os pastores e líderes que a igreja produziu não se esforçam em aprender e ensinar como viver diante de Deus para além do culto de domingo, o resultado não poderia ser outro: as tentativas de ser um intelectual evangélico resultam em sintetizar um conhecimento bíblico mediano com alguma disciplina acadêmica de inclinações humanistas. *Não basta ser um crente inteligente, é preciso ser inteligentemente crente.* A irrelevância pública do testemunho fiel da Igreja está intimamente ligada a sua postura anti-intelectual.

Os evangélicos gastam milhões todos os anos com novos projetos de colégios, seminários, universidades e revistas acadêmicas, mas não conseguem levar nenhuma dessas instituições ou artefatos culturais a assumir a dianteira na interação profunda com a sociedade moderna. E, mais uma vez, a raiz do problema é a ineficiente musculatura intelectual genuinamente cristã.

Vida intelectual bipolar

O segundo vício na condução da vida intelectual cristã, que tem estreita relação com o primeiro, é o que chamo de *vida intelectual bipolar.* Eu mesmo vivi esse problema nos primeiros anos como estudante universitário. Basicamente, a vida intelectual bipolar é aquela em que o indivíduo é um cristão sincero, crê fielmente na revelação de Deus nas Escrituras, mas durante a semana, na universidade ou no local de trabalho, pensa e se comporta como um legítimo ateu.

Hoje, um dos maiores desafios para o discipulado é justamente alcançar os membros de igrejas que frequentam os cultos dominicais e, durante a semana, leem Simone de Beauvoir, John Piper, Friedrich Nietzsche, Tim Keller e Michel Foucault sem perceber muita diferença entre eles. É frequente ouvir cristãos afirmarem, após uma palestra de algum intelectual não cristão, algo como: "Nossa, que palestra interessante! O palestrante é muito bom, faltou apenas citar Jesus. Se ele fizesse um apelo no final muita gente se converteria".

É claro que não existe nenhum problema em ler livros ou assistir a palestras de qualquer autor não cristão. O grande problema é não conseguir fazer a conexão entre isso e o que foi ouvido no sermão de domingo na igreja. É fundamental saber identificar os limites que separam a fé da descrença, algo que tem faltado aos jovens evangélicos brasileiros. Se eles acham que o discurso de um ateu é quase perfeito e que "só faltou citar Jesus", na realidade não compreenderam que faltou tudo! Chamo esses indivíduos de "ingênuos enganados", pois simplesmente lhes faltam as ferramentas intelectuais para julgar e digerir o material cultural que chega até eles todos os dias.

Quando nos informamos sobre a vida de vários cristãos nas ciências, percebemos que essa bipolaridade é recorrente. Isso acontece tanto por "ingenuidade", como falei anteriormente, como também por "má-fé". Como sobra incapacidade de desenvolver uma inteligência cativa à obediência de Cristo, muitos intelectuais cristãos simplesmente não têm escrúpulos em sintetizar conhecimento bíblico com saberes secularizados. O resultado é gente que mistura fé cristã com marxismo e pós-estruturalismo francês para produzir teologias da libertação, que combina *marketing* multinível com versículos bíblicos para construir uma gestão eclesiástica dinâmica ou que tenta mesclar saberes pseudocientíficos, como *coaching*, para tentar desenvolver uma liderança cristã contextualizada.

O núcleo de sentido básico de uma "mente cristã bipolar" é a atitude de "vestir" aos domingos a roupinha de crente para cantar e pensar como cristão e, durante a semana, "vestir" a roupa de intelectual cientificamente neutro ou culturalmente relevante. Além de ser terrível essa vida bipolar, ela é fruto justamente da falta do discipulado da inteligência.

Infelizmente, ninguém me ensinou que havia compromissos intelectuais muito claros e característicos da forma cristã de conduzir a inteligência. Enquanto não fui exposto a eles, tudo o que conseguia improvisar eram sínteses muito malfeitas de Jesus Cristo e Michel Foucault. Infelizmente, não tinha os critérios para avaliar o que era possível *aproveitar*, o que precisava *reformar* e o que tinha de *descartar*.

Atitude dos "donos da ortodoxia fiel"

O terceiro dos vícios característicos da vida intelectual cristã é a atitude dos *"donos da ortodoxia fiel"*. Em ambientes cristãos — uma universidade, um seminário teológico ou uma igreja —, a vaidade intelectual se materializa na figura dos "donos do saber teológico". São aqueles indivíduos que têm uma citação na ponta da língua para toda discussão teológica e se consideram os detentores do conhecimento bíblico e os protetores da honra da Igreja. Perto dessas pessoas, ninguém pode mencionar um "autor proibido" ou qualquer referência que discorde minimamente de Martinho Lutero, João Calvino ou C. S. Lewis. A vida intelectual desses irmãos e irmãs foi construída sobre um "caça heresia", e não existe prazer maior do que achar um erro teológico na conversa dos outros.

Esse tipo de arrogância intelectual, tão comum nos círculos acadêmicos contemporâneos, se torna um pecado horroroso no meio da cristandade. Para esses arrogantes, o conhecimento de Deus e suas obras deixa de ser o que move a nossa espiritualidade para tornar-se apenas o que alimenta as polêmicas e discussões. Quando deslocamos essa constatação para as redes sociais, a discussão assume outro nível. Ao que parece, as pessoas simplesmente não possuem ética no ciberespaço. Nas mãos dos "donos da reta doutrina", as redes sociais se transformam nos portais da igreja de Wittenberg, onde os novos reformadores de opinião podem afixar suas teses contra as heresias.

Quem identificou essa tendência de maneira primorosa foi Helmut Thielicke. Falando aos seus jovens estudantes, ele alertou acerca do perigo de pensar apenas "para os outros": "Essa transição [...] do relacionamento pessoal com Deus para a mera referência técnica [...] acontece porque o pastor raramente consegue expor um texto como se fosse uma carta endereçada a ele próprio e só lê a Bíblia sob a pressão de como encaixar o texto em um sermão".[10]

Não apenas os pastores ou teólogos profissionais, mas mesmo os membros leigos das igrejas podem cair nessa tentação arrogante. Você conhece aquele tipo de pessoa que tem plena certeza de que o sermão de domingo serviu para todo mundo, menos para ele? Em seus lábios são recorrentes afirmações como: "A Fulana tinha de estar aqui hoje, pois Deus falaria muito com ela!". Esse indivíduo, no entanto, é incapaz de aplicar a mensagem para si. Isso é claramente um tipo de vaidade intelectual. Para essa postura específica, Thielicke aconselha que os fiéis considerem cada conceito teológico que os impressionar como um desafio a sua fé e alerta: "Caso contrário, de repente você não estará mais crendo em Jesus Cristo, mas em Lutero ou em um de seus professores de teologia".[11]

Aprender para servir

Quando analisamos esses dados alarmantes da vida intelectual acadêmica e os vícios e as deformidades da maneira cristã de conduzir a inteligência, nos vemos diante de um desafio: *o que fazer com a inteligência que Deus nos concede?* Em outras palavras, quais são as implicações intelectuais do chamado para ser discípulo de Cristo? Como podemos desenvolver a vida profissional de maneira que a inteligência glorifique a Deus?

Antes de tudo, precisamos rejeitar a ideia limitante e vaidosa de que — como bem denunciou Luiz Felipe Pondé — a vida inteligente se resumiria a ler, escrever, dar aula, orientar pesquisas e participar do debate público, mas não assumir funções executivas porque somos obcecados por nossa visão de mundo, correta ou não. Na realidade, é possível escrever outra história da vida intelectual, pois, como a vida de estudos é apenas parte da vida humana em geral, a relação entre a Palavra de Deus e o aprendizado é apenas parte de uma questão mais ampla.

O desafio é o de discipular nossa inteligência. Para fazer nosso trabalho intelectual e criativo de forma obediente a Cristo e para o bem comum, só há duas possibilidades: respondemos obedientemente à Palavra de Deus e cultivamos uma inteligência genuinamente cristã ou prosseguimos na tentativa de fazer sínteses artificiais entre a fé cristã e os saberes humanistas. Quero convidar você a escolher o primeiro caminho. Isso significa deixar de ser um profissional cristão e inteligente para se tornar um profissional que usa a inteligência concedida por Deus para a glória do Senhor e para o bem do próximo.

Gijsbert van den Brink afirmou em uma entrevista que esse é um desafio enorme para os acadêmicos cristãos. No entanto, apesar da dificuldade, devemos evitar a clausura do isolamento dos estudos e, em vez disso, alcançar a igreja e a sociedade, a fim de disponibilizar os frutos do trabalho acadêmico a um público mais amplo. Brink acredita que isso pode ser feito conectando movimentos estudantis, política e imprensa, e contribuindo com textos mais populares em vez dos apenas acadêmicos.

Essa é uma exigência das universidades holandesas, que estimulam seus cientistas e acadêmicos a mostrarem os benefícios de seu trabalho para quem vive fora da academia. "Para teólogos, eu diria, isso é ainda mais importante. Eles devem ter como objetivo ser acadêmicos de alta qualidade, mas, ao mesmo tempo, devem se conectar com os desafios da vida cotidiana e da cultura contemporânea".[12]

A vida intelectual cristã não pode ser a expressão solitária de um indivíduo isolado em uma torre de marfim. Precisamos de algo mais amplo e condizente com a nossa vocação de discípulos de Jesus. Isso significa dizer que, para utilizar a inteligência para a glória de Deus, não precisamos ser filósofos ou gênios. Søren Kierkegaard explicou que, enquanto o gênio tem qualidades inatas, o apóstolo é um homem chamado por Deus para cumprir uma missão.

Da mesma forma, você foi chamado por Deus para adorá-lo "de todo o seu coração, de toda a sua alma, de toda a sua força e de toda a sua mente" (Lc 10.27). Portanto, o desafio de uma vida intelectual para a glória de Deus não está posto apenas àqueles que têm um chamado acadêmico, científico ou educacional específico: *todo* discípulo de Jesus é vocacionado a uma nova forma de conduzir a sua inteligência. Diferentemente do gênio, a inteligência como vocação cristã não exige de nós criatividade fora da média ou intelecto à frente de nosso tempo. Exige de nós fidelidade! Mais do que títulos acadêmicos e conquistas profissionais, a vida intelectual cristã almeja a glória de Deus.

A pergunta que nos resta, portanto, é como fazer isso. Minha proposta, como veremos a seguir, é uma vida de compromissos intelectuais com Deus — compromissos de construção de uma trajetória pessoal em que os pensamentos não destoem da fé e da comunidade espiritual a que pertencemos.

Não podemos permitir que a falência intelectual da igreja protestante, o "escândalo da mente evangélica", seja a palavra final sobre nossa vida. É necessário avançar. E, para isso, devemos substituir a ideia de que o intelectual é aquele que sabe mais sobre cada vez menos pelo compromisso de ser aqueles que servem o próximo cada vez mais com o que aprendemos.

Esse é o único meio de nos conformar aos parâmetros de Cristo na condução de nossa inteligência.

2
O compromisso de relacionar fé cristã com vida intelectual

Em 31 de julho de 1930, um recém-qualificado professor universitário deu sua primeira aula na então chamada Universidade Friedrich-Wilhelms, em Berlim (Alemanha). Com apenas 24 anos, Dietrich Bonhoeffer impressionava não somente por sua pouca idade, mas também pela inquestionável competência intelectual. Ele já havia concluído o doutorado e estava escrevendo sua segunda dissertação, que relacionava os desenvolvimentos da filosofia clássica alemã com a teologia sistemática cristã, um estudo complexo que o efetivaria como professor na universidade. No ano seguinte, Bonhoeffer ganhou uma importante bolsa de estudos do Union Theological Seminary, em Nova Iorque.

Mas o que realmente impressiona na história de Bonhoeffer é que, mesmo escrevendo, dando aulas e pregando a respeito desses assuntos, seu coração não havia sido alcançado por Cristo. Aquele competente doutor em Teologia, que se tornaria uma figura emblemática para a Igreja de Cristo por seu testemunho em meio ao regime nazista, ainda não havia nascido de novo, embora desse aulas sobre o assunto. Até então, o que controlava o ser e as ações de Bonhoeffer não era um compromisso fundamental com Cristo, tanto que, anos depois, ele escreveria sobre essa época: "Eu fazia uma grande ideia da Igreja e falei e preguei a seu respeito, mas ainda não havia me tornado um cristão. Na época, utilizei a doutrina de Jesus Cristo como uma vantagem pessoal".[1] Somente tempos depois, quando morava nos EUA, Bonhoeffer foi alcançado por Cristo.

Naquela época, o ensino de teologia e ciências humanas na Alemanha era pouquíssimo estimulante e professores com paixão e piedade eram raríssimos. Foi a partir da regeneração do coração que ele teve seu trabalho intelectual transformado. Um de seus alunos narra como eram as aulas: "[Bonhoeffer ressaltou] que, nos dias de hoje, muitas vezes perguntamos se ainda existe a necessidade da Igreja, se ainda precisamos de Deus. Mas essa questão, disse ele, está errada. A Igreja existe e Deus existe. Nós é que devemos ser questionados se estamos dispostos a servir".[2]

Bonhoeffer era mais que uma mente brilhante, ele tinha o coração em chamas. Isso não significava, no entanto, que se tornara um sentimentalista. Ele conseguia fazer de suas aulas um espaço para relacionar as questões mais urgentes da existência humana com a fé cristã. Seu intelecto ainda era tão rigoroso quanto antes, mas o que o motivava agora eram outras questões. Ele não tinha mais interesse em somente ensinar seus alunos, mas almejava discipulá-los na verdadeira vida cristã, de forma que compreendessem os acontecimentos da vida cotidiana por uma lente bíblica e desenvolvessem a prática da leitura da Bíblia não apenas como estudantes curiosos, mas como discípulos de Jesus Cristo.

Ciência e tecnologia como pontos de partida

Ao ler esse relato, alguém poderia perguntar: será que essa postura de fé e vida intelectual está certa? O correto não seria a forma como Bonhoeffer agia no início, separando fé de vida acadêmica? A jornada intelectual não deveria ser governada pelos critérios da neutralidade científica, objetividade acadêmica, criatividade e inovação?

Geralmente, para essas perguntas, o senso comum responde que inteligência e religião não deveriam se misturar, pois, sempre que isso acontece, as duas são prejudicadas. Uma visão mais tolerante até concordaria que não há problema em um cientista professar uma religião, desde que ele não a misture com o trabalho intelectual e acadêmico.

Essa percepção sobre a relação entre fé e vida intelectual é totalmente equivocada. É muito triste ver cristãos sinceros subscrevendo essa forma de organizar a vida intelectual. Mas, triste ou não, essa separação é uma realidade tanto no ambiente de fé cristã quanto no espaço universitário, nos circuitos culturais e na opinião pública.

Herman Dooyeweerd afirmou que muitos cristãos dedicados à ciência carecem de clareza sobre a conexão entre pensamento científico e religião. Ele se opõe à repetitiva reivindicação de que, por sua natureza não teológica, a ciência deve ser totalmente dissociada de crenças pessoais, a fim de não prejudicar sua objetividade por qualquer pressuposição originada da fé. "Essa ideia tem sido aceita sem levar em conta as consequências nem se é justificável do ponto de vista bíblico ou mesmo científico".[3] E isso se aplica tanto a cientistas não cristãos como a cristãos que desfrutam da educação acadêmica. É como se não julgassem necessário questionamentos sobre suas convicções mais básicas acerca da inteligência. Operam na ciência, na cultura e na vida intelectual de maneira acrítica e irrefletida, isto é, de modo dogmático, como se a crítica sobre nossos pontos de partida não fosse determinante para a relação que pretendemos construir entre vida intelectual e fé cristã!

Essa ideia de que não devemos argumentar com base na fé também é totalmente estranha ao ensino das Escrituras e não faz nenhum sentido do ponto de vista da prática reflexiva. É importante ficar claro que o simples fato de assumir irrefletidamente que a atividade intelectual é autônoma, neutra e objetiva já consiste em uma expressão de fé na inteligência. Essa postura de depositar confiança cega no âmbito científico é chamada de *cientificismo*,[4] e se deve ao histórico sucesso que a ciência moderna conquistou no Ocidente. A crença de que para ser verdadeiro precisa ser científico é um perfeito exemplo das dimensões inadequadas que o trabalho intelectual pode ganhar no laboratório e na universidade, assim como no ateliê de um artista, no gabinete de um cientista político ou na biblioteca de um historiador. Basta depositar excessiva confiança no objeto de trabalho intelectual do profissional em questão. Todos os "ismos" intelectuais que conhecemos (como naturalismo, psicologismo, historicismo e cientificismo) nasceram dessa postura dogmática da inteligência.

É claro que os avanços proporcionados pela ciência e tecnologia são indubitáveis, e devem ser entendidos, inclusive, como bênção advinda de uma ordem de Deus (Gn 1.26-28). Do creme dental ao tratamento de câncer, praticamente nada do que fazemos seria possível sem esse desenvolvimento tecnológico, mas não podemos ser ingênuos a ponto de esquecer que a mesma cultura tecnológica produziu desvantagens pessoais, desequilíbrios ambientais e desordens econômicas e políticas — prova inegável das extensões da queda humana no pecado. Todavia, muito mais importante e grave que a discussão sobre as vantagens e as desvantagens da ciência é compreender como os avanços científicos geraram em nosso coração a fé na capacidade intelectual que Deus nos concede.

É comum pessoas exigirem razões rigorosamente científicas para suas ações diárias, ainda que não se encaixem no âmbito da ciência. Não é raro ver nas bancas de jornais revistas cult que trazem críticas psicológicas à religião ou publicações "superinteressantes" que tentam desmistificar a leitura bíblica a partir de novas descobertas arqueológicas. Na raiz desse tipo de produção cultural, muito comum na mídia de massa brasileira, reside a convicção absolutamente falsa do ponto de vista da vida cotidiana de que a ciência e a racionalidade objetiva precisam ser os critérios de avaliação de tudo o que fazemos. Isso é idolatria cientificista. É necessário libertar universitários e jovens profissionais da convicção de que o raciocínio livre e criativo, apenas, é o melhor ponto de partida para usar a inteligência que Deus nos concedeu. Precisamos ir muito além disso.

Egbert Schuurman não só diagnosticou esse problema como criticou-o ativamente, tornando-se uma referência para quem busca servir a Deus de forma inteligente e criativa. Denuncia os danos que o emprego desenfreado da ciência causa à mentalidade moderna, uma vez que a realidade passou a modelar-se pelas propriedades da ciência, ou seja, a realidade precisou se ajustar à imagem da realidade que os cientistas criaram para si. Trata-se de uma reorganização irresponsável de nossa forma de experimentar o mundo cotidiano, totalmente rendida ao que o método científico prescreve. Um processo que pode ser chamado de "cientificização da vida".[5] Como a prática científica se mostrou muito competente em alguns momentos, nossa cultura fica cada vez mais confiante de que, se alguma afirmação não tiver rigor científico, provavelmente não é verdadeira.

Porém, muito antes de essa cultura tornar-se cientificista, o âmago das pessoas já foi atingido. "A ciência secularizada afeta profundamente o coração humano. A partir do exato momento em que um indivíduo a aceita, ela passa a acompanhá-lo na leitura das Escrituras e em suas orações".[6] O fato de não questionarmos o ponto de partida de nossos exercícios intelectuais nos torna facilmente influenciáveis pela cultura ou pela comunidade intelectual em que estamos inseridos — o que faz de nós pessoas divididas. Seremos discípulos de Jesus entre as quatro paredes da igreja, mas faremos ciência, tecnologia, arte, política e negócios como qualquer outro não cristão.

O resultado é que com frequência estudantes de filosofia se tornam idólatras de seu raciocínio, historiadores reduzem tudo a História ou biólogos passam a entender todos os fenômenos da realidade à luz do naturalismo. Entretanto, o que Dooyeweerd e Schuurman argumentam é que, ao fazer isso, estamos empobrecendo nossa experiência intelectual, reduzindo as dinâmicas da realidade e, acima de tudo, colocando nosso coração a serviço de falsos deuses.

Definindo atividade intelectual e fé cristã

É importante perceber que operar sem refletir sobre os pontos de partida teóricos ou científicos não é privilégio dos intelectuais não cristãos. Existem alguns modelos de interação entre fé cristã e trabalho intelectual que, embora muito comuns entre os discípulos de Cristo, são profundamente inadequados. Expor cada um deles pode nos ajudar a não cometer os mesmos erros do passado.

A longa experiência de Denis Alexander, adquirida em aulas, seminários e debates sobre fé cristã e ciência, lhe rendeu a percepção de que o simples fato de nos perguntarmos sobre a melhor forma de relacionar esses dois âmbitos da vida humana já comprova nossa suposição de que eles não são a mesma coisa. Embora pareça óbvio a primeira vista, trata-se de uma percepção condicionada a nossos tempos, uma vez que ela não faria sentido, por exemplo, para os eruditos medievais, para quem teologia e filosofia natural faziam parte de um corpo abrangente de conhecimento.[7]

Neste ponto, torna-se necessário definir ciência e fé. A ciência é uma disciplina acadêmica em que um aspecto da realidade (como o físico, o sensitivo, o lógico, o histórico, o social ou o jurídico) é recortado (abstraído) e estudado segundo metodologias que lhe são próprias. Trata-se de voltar-nos para a realidade utilizando nossa capacidade lógica de isolar um aspecto específico do todo e vai além da vida universitária. Assim, Alexander define as ciências naturais como "um esforço intelectual para explicar o funcionamento do mundo físico, informado por investigações empíricas e conduzido por uma comunidade treinada em certas técnicas especializadas".[8]

Gosto da definição de fé, ou confiança de natureza religiosa, de James W. Sire. Ele a define como uma orientação fundamental do coração, que pode ser expressa como uma narrativa ou um conjunto de pressuposições que sustentamos (de forma consciente ou subconsciente, consistente ou inconsistente) sobre a constituição básica da realidade, e que fornece o fundamento no qual vivemos, nos movemos e existimos.[9]

A importância da diferenciação entre ciência e fé está nas funções que esses dois conceitos desempenham na experiência humana. Segundo Herman Bavinck, a primeira pode satisfazer-se com a certeza humana, enquanto a última exige nada menos que a certeza divina. Ele defende que o objeto da fé deve ser a verdade inteiramente confiável, infalível e eterna, na vida e na morte, pelo tempo e pela eternidade. Na maior parte das questões terrenas, é possível suportar graus menores ou maiores de probabilidade, mas nas questões de fé a certeza total é requisito indispensável.

Com isso, a base de nossa esperança para a eternidade não pode ater-se a palavras humanas, resultados de investigação científica, ideais moldados por nossa imaginação ou proposições construídas sobre o raciocínio humano, pois tudo isso é instável e falível. Tais coisas não poderiam suportar a esperança do cristão. "A fé — a fé religiosa — pode, por sua própria natureza, assentar-se numa palavra, numa promessa de Deus, em algo que procede de sua boca e é revelado ao homem, quer naturalmente, quer sobrenaturalmente".[10]

A certeza da fé cristã, portanto, não nasce do raciocínio intelectual, em argumentos filosóficos ou em evidências científicas. Seria um contrassenso. A confiança mais profunda de nosso coração não é fruto de entendimento humano, vontades ou desejos, mas nasce no coração humano pela operação poderosa do Espírito Santo, mediante a Palavra de Deus, que põe em movimento todos os aspectos da vida de uma pessoa. O próprio Sire está consciente disso quando explora um pouco mais a sua definição e nos explica que cosmovisão não é fundamentalmente um conjunto de proposições ou uma teia de crenças intelectuais. A essência de uma cosmovisão reside nos recônditos interiores profundos do ser humano: "é uma questão da alma, e é representada mais como uma orientação, ou talvez disposição, espiritual do que como uma questão de mentes apenas".[11]

Compreender claramente essas definições nos ajuda a avaliar quais são os melhores modelos de interação entre fé cristã e ciência e entre fé cristã e produções culturais em geral, e qual modelo relaciona esses âmbitos sem nenhum empobrecimento da realidade.

Como não relacionar fé cristã e vida intelectual

Bons livros já foram escritos para descrever em detalhes os diferentes modelos de interação entre fé cristã e atividade intelectual. Para o propósito que tenho neste livro, basta apresentar os quatro modelos dominantes: o do conflito, o da independência, o da fusão e o do diálogo.

O modelo de conflito entre fé cristã e atividade teórica

Esse modelo sustenta que fé cristã e atividade intelectual estão em conflito irreconciliável e é, sem dúvida, o mais difundido hoje, tanto pelas publicações técnicas em ciências naturais quanto por alguns manuais de teologia. Além disso, a mídia de massa ganha a atenção dos seus espectadores, o que alimenta a batalha por meio da retórica de conflito.

Os principais nomes do movimento de novos ateus da Inglaterra e dos EUA ganharam muito dinheiro e fama apostando na ideia de que não é possível ser um intelectual com rigor científico e cultivar uma fé verdadeira. Segundo essa abordagem, que encontra como principais porta-vozes Richard Dawkins, Daniel Dennett, Sam Harris e Christopher Hitchens, Cristo está sempre *contra a cultura*.

Egbert Schuurman diz que o cristão acadêmico que adota essa visão vive em dois mundos, lidando com duas verdades mutuamente contraditórias, e que esse conflito geralmente se resolve a favor da ciência. Isso ocorre porque as pessoas costumam fundamentar-se nas características logicamente convincentes, necessárias e inescapáveis da ciência e agarram-se aos poderes e às possibilidades de controle que ela oferece. Trata-se da fé na ciência. Essa descrição de Schuurman caracteriza com precisão muitas práticas difundidas no meio da inteligência brasileira. O ponto central do seu argumento é nos mostrar que, apesar das tentativas de privatizar a fé, lançando-a para longe de qualquer prática intelectual rigorosa, muitos indivíduos depositam cegamente sua confiança nas conquistas científicas e tecnológicas.

Quem também percebeu e criticou duramente esse fenômeno foi Alvin Plantinga, que questiona o tratamento que alguns dão à ciência, como se ela fosse uma espécie de revelação divina, um oráculo infalível, vendo os cientistas como uma espécie de "nova casta sacerdotal".[12] Isso significa dizer que o modelo de conflito, em última instância, não trata de uma batalha de fé *versus* ciência, mas, sim, de fé cristã *versus* fé nas produções científicas e culturais do ser humano. Ou, ainda, que "esse conflito entre a crença cristã e a ciência não existe, mas sim um conflito entre ciência e naturalismo", uma vez que "o naturalismo desempenha muitos papéis idênticos aos desempenhados pelas religiões".[13]

Apesar de alguns episódios da história moderna e contemporânea serem utilizados para justificar esse modo de manter em conflito constante a fé cristã e a vida intelectual, a história das ciências está sendo recontada. Peter Harrison, uma das maiores autoridades vivas na área da história intelectual, sustenta que essa visão errônea aceita pelos historiadores, hoje, se baseia amplamente na invenção de dois profissionais da controvérsia do século 19: John Draper e Andrew Dickson

White.[14] É incrível como apenas dois livros de meados de 1890 deformaram séculos de história das ciências no Ocidente.

As universidades brasileiras e as empresas de mídia que alimentam esse conflito ignoram o fato de que, na maioria dos casos históricos, o conflito não era entre religião e ciência, mas se tratava de agendas de interesse ideológico tanto da comunidade científica e intelectual quanto de algumas comunidades cristãs — que, infelizmente, também estão representadas no Brasil. Harrison lembra que as novas teorias científicas quase sempre encontram resistência dentro da própria comunidade científica e que, algumas vezes, a oposição científica a novas teorias aliou-se à oposição religiosa. Ele cita o caso de Galileu, em que a Igreja Católica não se opôs à ciência em si, mas usou sua autoridade para endossar o consenso da comunidade científica da época. "Além disso, as fronteiras entre ciência e religião foram estabelecidas de maneira bastante diferente no passado, o que complica a interpretação dos episódios históricos particulares." Isaac Newton, outro exemplo, aceitava a discussão sobre a existência de Deus como parte legítima do estudo formal da natureza, um ponto de vista com o qual poucos cientistas do século 21 concordariam. "A piedade de cientistas como Newton (e, efetivamente, como a maioria dos cientistas que, antes do século 20, estavam comprometidos com o teísmo) também denuncia a falsidade da noção de que haja algum tipo de predisposição mental científica que seja intrinsecamente incompatível com a crença religiosa."[15]

Em tudo isso, fica evidente como algumas pessoas não conseguem ter clareza dos limites do trabalho científico e intelectual, e dos âmbitos em que a fé cristã opera. "Os cientistas, em seus livros populares, tendem a invocar a autoridade da ciência em relação às ideias que não são realmente parte da própria ciência. Teísmo e materialismo são sistemas de crenças alternativos, cada qual alegando abranger toda a realidade."[16] Em outras palavras, quando Richard Dawkins combate a fé cristã com base na biologia, ele está sendo um péssimo teólogo e um mau biólogo.

Em síntese, o que aprendemos com essa primeira forma equivocada de relacionar fé cristã e trabalho intelectual é: quando um indivíduo organiza toda a sua vida intelectual com base na ideia de que somente o conhecimento de natureza científica é verdadeiro e confiável, ele está colocando a confiança do seu coração na ciência e, com isso, tendo fé em um falso deus.

As pessoas que adotam essa postura cientificista se esquecem de que, ao tentar desacreditar a fé cristã com descobertas das ciências naturais ou humanas, estão estendendo a ação dessas disciplinas para além de sua abrangência e exigindo delas muito mais do que têm condições de dar, no intuito de justificar outra preferência religiosa pessoal. "A ciência de modo algum trata de alguns tópicos sobre os quais mais precisamos de esclarecimento: a religião, a política e a moral, por exemplo [...] muitos querem orientação dos cientistas sobre assuntos que estão fora do escopo da ciência, assuntos nos quais os cientistas não são especializados."[17] Portanto, a fé cristã e a atividade intelectual não podem estar em conflito pelo simples fato de que não são âmbitos opostos ou autoexcludentes. Ao contrário, a inteligência é alimentada pela fé. Ou, como Plantinga gosta de resumir, a ciência combina muito mais com o teísmo do que com o naturalismo.

O modelo de independência entre fé cristã e atividade intelectual

Os defensores dessa abordagem procuram resolver as discussões entre vida intelectual e fé de uma forma muito mais simples: mantendo essas duas áreas da vida em compartimentos separados. Se ciência e religião forem iniciativas independentes e autônomas, cada qual propondo um gênero distinto de problemas e cumprindo diferentes funções na vida humana, não podem entrar em conflito. Nessa forma de relacionar fé cristã com atividade intelectual, *Cristo está acima da cultura,* o que leva muitos cristãos e intelectuais a entenderem esses domínios separadamente.

É necessário reconhecer que existem funções, linguagens e até mesmo territórios distintos para a fé e o trabalho intelectual. Uma das formas mais banais de defender isso é argumentar que o ofício científico procura explicar fenômenos objetivos e de domínio público, enquanto a fé religiosa está ocupada com o significado das experiências mais amplas da existência a partir da visão subjetiva. Isto é, a ciência responderia perguntas sobre "como" e a fé questões sobre o "porquê".

Apesar de muito didática, essa divisão tão rígida entre os territórios da fé e do trabalho intelectual é falsa e enganosa. Harrison explica que, assim como as fronteiras entre países são mais uma consequência de ambições imperiais, conveniências políticas e contingência histórica do que uma atenção consciente a falhas sísmicas mais "naturais" de geografia, cultura e etnia, também a compartimentalização da cultura ocidental moderna, que deu origem às noções distintas de "ciência" e "religião", resultou não de uma consideração racional ou desapaixonada sobre como dividir a vida cultural segundo linhas de fratura naturais, mas, em grau considerável, teve a ver com o poder político e com as intempéries da história.[18]

Os mapas intelectuais que separam muito rigidamente fé cristã de vida intelectual são representações distorcidas. Não devemos deturpar a história intelectual do Ocidente aplicando mapas que não condizem com a realidade. As fronteiras não são assim tão naturalmente distinguíveis. Devemos sempre nos lembrar de que, embora ciência e religião levantem questões qualitativamente diferentes, ambas se referem à mesma realidade. Mais que isso, um indivíduo inteligente é, muitas vezes, uma pessoa de fé. Não é possível deixar os pressupostos religiosos no armário quando vestimos o jaleco para trabalhar no laboratório.

É um enorme equívoco procurar manter a vida intelectual independente dos compromissos de fé do coração. As vivências intelectuais mais distintas são alimentadas pelas convicções religiosas mais profundas.

O modelo de fusão entre fé cristã e atividade intelectual

Se, por um lado, o modelo do conflito é o mais difundido nos meios de comunicação populares e na universidade, por outro, a abordagem mais comum na comunidade de fé cristã é a da fusão. Como o próprio nome sinaliza, os partidários desse pensamento buscam um tipo de correlação entre fé e ciências próxima demais, a ponto de suas fronteiras tornarem-se indistintas.

Esse tipo de abordagem é muito presente nas construções teológicas de alguns intelectuais cristãos que buscam, por exemplo, provar a existência de Deus a partir de evidências deduzidas de um aparente planejamento do universo.

O surgimento e a difusão dessa abordagem se devem a uma reação dos intelectuais de fé cristã aos outros dois modelos anteriores. Insatisfeitos tanto com a independência que a ciência assumiu da fé quanto com as críticas feitas à fé pela ciência, esses intelectuais cristãos buscaram mostrar a compatibilidade de ambas por uma relação excessivamente próxima. Isso levou ao surgimento de teólogos com conhecimento pseudocientífico, que buscam encontrar em todos os cantos da realidade indícios da criação de Deus, e de cientistas pseudoteólogos, que buscam transformar doutrinas cristãs em teorias alternativas às hipóteses científicas.

Quanto a esse equívoco, Schuurman é, mais uma vez, cirúrgico ao explicar que tal modelo quase não pondera sobre o papel e a estrutura da ciência, e essa falta de reflexão leva ao risco de que os dados da revelação sejam interpretados ou explicados cientificamente. Em outras palavras, a ciência coincidiria com o conteúdo da revelação. "Ao meu ver, o que temos aqui reflete uma visão equivocada da Bíblia. A ciência confirmaria o que a Bíblia diz e, igualmente, uma palavra das Escrituras seria por definição uma palavra da ciência [...]. Então, não se reflete acerca dos limites e estruturas da ciência."[19]

Não existe nada mais frágil do que construir saberes cristãos e teologia em cima de teorias científicas. O que é uma hipótese corrente hoje pode se modificar ou até mesmo ser refutada amanhã. Um intelectual cristão que procura acomodar doutrina bíblica às últimas novidades científicas está prestando um desserviço ao reino de Deus e, também, à vida intelectual.

Isso não significa dizer que não acreditamos em um ajuste fino no universo fruto do planejamento inteligente do Criador. A fé na criação conforme revela o relato bíblico é um pressuposto irrefutável para toda a revolução científica moderna.

Mesmo assim, é um pressuposto. É anterior a qualquer teoria científica e de natureza muito diferente. Se fundirmos teorias científicas com o tipo de convicção gerada no coração pela pregação bíblica, estaremos desrespeitando a Bíblia e deixando de mostrar sua relevância para o mundo contemporâneo.

John H. Walton sintetizou muito bem essa convicção ao escrever que somos obrigados a respeitar o texto bíblico reconhecendo o tipo e a natureza da mensagem que ele transmite. "Neste sentido, temos por muito tempo reconhecido que a Bíblia não é um compêndio científico. Ou seja, a intenção de Deus não é nos ensinar ciência nem revelá-la. Ele revela, de fato, sua obra no mundo, mas ele não revela como o mundo funciona".[20]

O modelo de diálogo entre a fé cristã e o trabalho científico

Da mesma forma que a abordagem de fusão procura ser uma resposta às práticas comuns de tornar a relação entre fé e inteligência independente ou conflitante, também podemos dizer que o modelo de diálogo procura ser uma alternativa mais ponderada. Também chamado de *modelo da complementaridade*, essa forma de manter relacionadas fé e ciência tornou-se a opção predileta dos cientistas verdadeiros com fé verdadeira. Isso porque, em vez de insistir no conflito, na independência ou na fusão, o modelo do diálogo procura reconhecer o melhor de cada um desses modos de ser da experiência humana e articulá-los a fim de obter o mútuo enriquecimento.

Entusiasta dessa abordagem, Denis Alexander explica que o modelo parte do princípio de que ciência e religião se referem à mesma realidade, mas a partir de diferentes perspectivas, provendo explanações complementares e não rivais. Com isso, se torna possível incluir qualquer entidade que requeira múltiplos níveis de explicação para dar conta de sua complexidade. Ele cita como exemplo a grande variedade de descrições necessárias para compreender o ser humano, como a bioquímica, biologia celular, fisiologia, psicologia, antropologia e ecologia. A religião provê um conjunto adicional de explanações, fora dos poderes de avaliação da ciência, ligado a questões factuais sobre o propósito supremo, o valor e o sentido das coisas.

A opção pelo diálogo é a mais adequada para quem não quer desconsiderar a complexidade da criação de Deus. Quando confrontamos a experiência humana com uma análise intelectual mais rigorosa, reconhecemos que há múltiplas maneiras fundamentais de experimentar as coisas. Só Dooyeweerd, por exemplo, identificou quinze aspectos. Nesse sentido, somente quando adotamos uma abordagem de diálogo complementar entre fé cristã e as várias formas de experimentar nosso trabalho intelectual conseguimos fazer justiça a essa visão multinível da realidade.

Não é raro que se confunda essa forma de encarar a realidade com a do modelo de independência entre fé cristã e trabalho intelectual, mas devemos lembrar que, apesar de vida intelectual e fé serem modos diferentes de experimentar a realidade, eles não são independentes e muito menos conflitantes. Na verdade, o diálogo só é possível graças à compreensão de que a realidade ordenada por Deus funciona com todos esses diversos modos em complementaridade finamente ajustada. No entanto, é essencial compreender como esse ajuste fino acontece. Em outras palavras: como se dá esse diálogo? Há duas respostas possíveis para essa pergunta.

O "diálogo incremental"

Podemos dizer simplesmente que a fé cristã *incrementa* todas as instâncias da vida inteligente. No "diálogo incremental", filosofia e ciência independem da fé cristã, isto é, são entendidas como partes do reino da natureza e, embora aceitas como tal, devem ser completadas, ou "incrementadas" pela fé, ou seja, o reino da graça.

Costumo chamar essa proposta de "bolo de cenoura com cobertura de chocolate". Pense em um bolo de cenoura, de cor acentuada, gostoso e nutritivo. As crianças não gostam muito, mas, quando se derrama calda de chocolate por cima, o bolo se torna muito mais atraente. Por dentro, continua sendo de cenoura, mas por fora o que se vê é o chocolate da calda. É isso que, mal comparando, ocorre com a abordagem de "diálogo incremental" entre fé e vida intelectual.

Essa prática é a mais comum nas tentativas de criar uma instituição confessional, como escola, universidade, empresa ou instituto de pesquisa. Em seu núcleo, a instituição funciona de maneira idêntica às instituições não cristãs da mesma área de atuação, com uma única diferença: derrama-se uma calda de confessionalidade por cima das práticas intelectuais seculares. Exemplos disso são a prática regular de orar em algum momento do dia ou a realização de um culto a cada mês, como se um momento devocional esporádico fosse suficiente para construir um centro intelectual genuinamente cristão.

Schuurman afirma que o que geralmente acontece em universidades e colégios cristãos que carregam o *slogan* de confessionais, não passa de uma síntese mal feita entre ciência corrente e testemunho religioso pessoal. Nesses ambientes, as pessoas costumam aceitar a visão dominante da ciência e depois a "incrementam" com um testemunho de fé pessoal. Embora esse "incremento" não deixe de ser sincero, o que esses crentes não percebem é que tal posição não pode ser sustentada, porque sua "fé" e sua "ciência" não são de forma alguma integradas numa única perspectiva. "Um testemunho de fé espalhado como um 'molho' sobre uma teoria ateísta não altera tal teoria. O que faz, na verdade, é desmerecer a fé."[21]

Não basta espalhar "calda de chocolate cristã" sobre o "bolo de cenoura" das teorias humanistas em pedagogia, psicologia, economia, sociologia e filosofia. Essa relação de diálogo por "incremento" gera uma polarização entre o que de fato controla a inteligência dos indivíduos, seja a motivação bíblica, seja humanista. A menos que a formação dos profissionais, o currículo, as práticas administrativas e até mesmo as estruturas estéticas dos ambientes de trabalho intelectual sejam profundamente moldados por uma cosmovisão cristã, nunca conseguiremos fazer mais do que uma versão institucional do "bolo de cenoura com cobertura de chocolate" da inteligência cristã.

A "doutrina das bases"

Uma segunda maneira de responder o questionamento sobre como deve ocorrer o diálogo complementar entre fé e vida intelectual é apelar para os pressupostos, modelo que Schuurman denomina "doutrina das bases".

Os proponentes desse modelo afirmam que se deve favorecer uma espécie de integração desde o princípio. O foco está nas pressuposições, que funcionam como o alicerce sobre o qual todo o edifício intelectual será edificado, por crerem que ali está a diferença radical entre um empreendimento cristão e um não cristão.

É inegável que o ponto de partida é fundamental para toda experiência humana intelectual. A antítese radical entre cristãos e não cristãos começa nele. Entretanto, apesar do seu valor, não podemos dizer que o ponto de partida é tudo o que importa. Existem várias perguntas a serem feitas antes e depois que as bases cristãs são estabelecidas.

Schuurman não só estava consciente dessas questões, como também reconheceu os limites de sua própria tradição intelectual. Ao mencionar um ponto fraco na trajetória de uma das principais universidades do neocalvinismo holandês, ele escreveu:

> Traduzir a revelação e Palavra de Deus em princípios científicos não é tão fácil como parece. Inadvertidamente, você pode selecionar seus pontos de partida e sustentar sua fé neles: uma prática que provou ser o ponto fraco da Universidade Livre de Amsterdã.
>
> Os seus fundadores buscaram estabelecer, de uma vez por todas, princípios da Escritura e da tradição reformada para a prática da ciência, princípios esses que se provaram insustentáveis posteriormente. Como resultado dessa abordagem, o ideal acadêmico cristão sofreu enormemente. [...] Não haveria aí um grande risco de que a fé fosse concebida como algo estático, passível de ser estabelecido na forma de regras, e que, em consequência disso, as pessoas passariam a supor que o edifício conceitual continuaria de pé?[22]

O que está em jogo com esses questionamentos é o efeito contínuo da fé cristã no processo, tanto de formulação das pressuposições cristãs quanto em toda a vida intelectual que os segue. Embora a preocupação com o ponto de partida genuinamente bíblico seja fundamental, ela precisa de outros desdobramentos igualmente importantes.

Todo esse questionamento contemporâneo e os exemplos equivocados do passado servem para nos ensinar que firmar o compromisso de uma fé que controle nosso pensamento não é tarefa simples. Aqueles que ignoram essas sutilezas abrem mão de algo que vai além de meros detalhes acadêmicos. Ocupar-se com essas questões é o que determinará se a condução de nossa vida intelectual se submete ou não ao senhorio de Cristo e glorifica a Deus com suas conquistas.

3
O compromisso de conhecer a partir do coração

Cada modelo de interação entre fé cristã e atividade intelectual que apresentamos no capítulo anterior tem forças e fraquezas, o que, em diferentes medidas, os tornam muito comuns em comunidades acadêmicas, na mentalidade dos membros das igrejas e na visão geral da cultura em relação à vida intelectual. Entretanto, existe um quinto modelo, menos comum, mas que, em minha opinião, é o mais adequado para relacionar a fé cristã com a vida intelectual à qual fomos chamados. Trata-se do *modelo da fé que regula o pensamento.*

Quem tratou explicitamente dessa forma de organizar nossa inteligência para a glória de Deus foi Schuurman. Para ele, tornou-se cada vez mais claro que essa questão é usualmente posta de maneira incorreta. "O que se questiona não é a relação entre a fé e a ciência, mas a relação entre a fé cristã — na qual, por meio de uma cosmovisão e vida cristã, não há lugar para uma determinada visão da ciência — e a *fé na ciência*. A fé e o pensamento são inter-relacionados. A questão é: que fé direciona ou guia o pensamento das pessoas?"[1]

A mudança sugerida por Schuurman estabelece a melhor maneira de conduzir a inteligência em concordância com a fé em Cristo. Em vez de insistir nos modelos anteriores, que separam, incrementam ou simplesmente juntam fé cristã com alguma atividade teórica, ele mostra que as vivências (pensamentos, vontades e desejos) do ser humano são guiadas por sua fé, entendida aqui como o comprometimento do coração.

Assim, utilizar a inteligência para a glória de Deus não se resume a conhecer as doutrinas bíblicas e tentar juntá-las com a atividade intelectual. Em vez disso, é preciso dar um passo atrás de toda atividade humana (teórica e prática) e verificar com o que está comprometido o coração. Querendo ou não, esse compromisso religioso do coração determinará os caminhos percorridos pela inteligência.

Thaddeus J. Williams captou perfeitamente a ideia. Profundamente habituado com essa forma de conduzir a inteligência a partir dos direcionamentos da fé, ele propõe uma questão fundamental de que todos devemos nos ocupar: "O que sua vida diz ser a coisa mais importante da existência? Se você parasse e fizesse uma estimativa honesta de si próprio — como você escolhe gastar sua dose diária de fôlego e energia, quais ideias ocupam a maior parte do espaço no mundo do seu pensamento — o que, mais do que tudo, o move?".[2] Mais que uma pergunta sobre suas preferências e atividades pessoais, o questionamento sobre o motivo basilar que nos põe em movimento diariamente é um dos meios de identificar qual fé controla o uso da inteligência que Deus nos concedeu.

Visite um departamento de ciências humanas de qualquer universidade pública e você encontrará vários professores e alunos crédulos nos poderes absolutos da história. Essa visão de mundo, chamada *historicismo*, é muito comum nos ambientes pós-modernos. Justamente por depositar uma confiança exagerada na capacidade da história para explicar tudo o que acontece no mundo, tais pessoas terão dificuldade de reconhecer qualquer tipo de estrutura rígida na natureza, nos seres humanos ou na sociedade. Ou seja, o compromisso do seu coração com a crença na história regula e determina suas práticas intelectuais.

Com esse exemplo, cada vez mais comum nos ambientes universitários brasileiros, gostaria de mostrar que não é possível esperar outro tipo de uso da inteligência de pessoas como essas, em razão da natureza dos compromissos que alimentam no coração. São indivíduos que simplesmente "não conseguem entender" os fenômenos da vida de outra forma que não seja a habitual de submeter tudo à mudança histórica. E, se tentarmos levar a discussão às últimas consequências, nos taxarão de intolerantes. Tudo porque estamos lidando com comprometimentos de natureza religiosa.

A realidade é que a sua fé controla o seu pensamento. Justamente por esse motivo, crer é, para Schuurman, "algo que permanece por trás de tudo o que fazemos. O testemunho da fé torna claro o conteúdo religioso do coração — aquilo no qual o coração encontra sua certeza, estabilidade e firmeza".[3]

Thaddeus J. Williams traz a esse diálogo um dado histórico sobre a vida de Charles Darwin. Recorrendo aos registros autobiográficos do cientista, Williams revelou que a maior satisfação na vida de Darwin era o próprio trabalho científico. Darwin mesmo admitiu que jamais descansava, já que considerava o seu trabalho intelectual "a única coisa que torna a vida suportável".[4] Um caso típico de alguém viciado em trabalho.

A grande questão, no entanto, não está em apenas identificar o que controla a inteligência, mas observar como essa confiança religiosa nos conforma à sua imagem e semelhança. Aquilo que amamos nos transforma. Nós nos tornamos semelhantes àquilo que adoramos (Sl 115.8). No caso de Darwin não foi diferente. Ele assumiu que sua mente mudou com o passar dos anos e explicou que, após os 30 anos, deixou de se deleitar com poesias e em textos de Shakespeare. Darwin teria dito: "Minha mente aparentemente se transformou num tipo de máquina de moer que produz leis gerais a partir de grandes coleções de fatos [...]. A perda desses gostos é uma perda da felicidade, e possivelmente é danosa ao intelecto e, ainda mais provavelmente, ao caráter moral, ao enfraquecer a parte emocional de nossa natureza."[5]

Quando li pela primeira vez esse relato de Darwin fiquei muito impactado. É impressionante como a devoção a uma atividade que, em si mesma, não tem nada de errado, pode empobrecer toda a nossa existência. Casos como o de Darwin são muito mais comuns do que imaginamos. Para aqueles que têm o coração dominado pelo trabalho, claramente a sua existência será governada por esse falso deus. O mesmo pode ser dito de quem é devoto de prazeres, poder, razão e assim por diante. Basta observar o que dita o ritmo de nossa rotina para identificar aquilo a que o coração está servindo. Se concentramos a fé em um aspecto reduzido da realidade, não só a inteligência, mas toda nossa vida não poderá ser menos abreviada.

É importante explicar que o modelo de fé que controla o pensamento parte de uma visão específica sobre o ser humano, uma antropologia diferente das opções modernas e contemporâneas. Em vez de usar as noções mais comuns para designar o núcleo central da identidade humana — como alma, espírito, ego, *self*, eu, persona etc. —, preferi trabalhar com a noção bíblica de *coração*. Quem explica a razão dessa escolha é David K. Naugle, autor da obra mais importante já escrita sobre cosmovisão: "inquestionavelmente, de todas as palavras que são cruciais para a antropologia bíblica, a palavra 'coração' é de longe a mais importante".[6] É claro que precisamos entender que esse conceito é apenas uma imagem, uma figura de linguagem para se referir ao núcleo central do ser humano. A Bíblia não usa o termo "coração" para aludir ao órgão que bombeia sangue para o corpo, muito menos para mencionar alguma parte do próprio organismo.

Na verdade, o *insight* bíblico a respeito do coração é bem mais complexo. Nossa cognição, afeição e volição encontram base de funcionamento em um núcleo unificado chamado de *coração*. É por isso que a Bíblia fala sobre dar o coração a Deus e, se nos propusermos a vigiar alguma coisa, que seja o coração — isto é, de onde partem todas as fontes da existência pessoal (1Rs 5.9-14; Pv 4.23; Mc 7.21; Lc 6.45). Como bem explica Willem Johannes Ouweneel: "o ego não é uma 'parte' do homem, e sim aquele 'ponto' em que todas as 'partes' se unem e encontram unidade".[7] Todos esses dados a respeito do ser humano que as Escrituras nos fornecem precisam alternar radicalmente a maneira como conduzimos a vida intelectual. Nós não somos "animais racionais", como se o valor máximo que distingue a dignidade humana fosse o cérebro. Nós conhecemos a partir do coração.

O trabalho exaustivo de Hans Walter Wolff é primoroso em nos mostrar como as Escrituras sempre apresentam o coração como o centro não só da afeição, mas também da volição e da cognição. Sua tese central é: "na Bíblia, as atividades essenciais do coração humano são de natureza intelectual-psíquica".[8] É um consenso em nossa cultura popular utilizar figuras de coração para referir-se às emoções e à sensibilidade. A Bíblia também faz isso (Sl 25.17; 119.32; Pv 14.30; Zc 10.7). No entanto, Wolff nos chama atenção para o fato de que, na maioria dos casos, o coração é caracterizado por funções racionais (1Sm 25.37), por isso devemos evitar a impressão errada de que o ser humano bíblico seja determinado mais pelos sentimentos que pela razão. O coração foi feito para entender (Dt 8.5) e deixará de cumprir sua função quando, obstinado, se nega à compreensão (Is 6.10). Provérbios 15.14 descreveria, portanto, a função essencial do coração: procurar o conhecimento (cf. Pv 8.5; 18.15).[9]

A conclusão é que a Bíblia corrige uma tendência muito cerebral de nossa cultura. Não existe uma escala de prioridades entre as funções desempenhadas pelo coração humano, que nos leva não só a sentir ou querer mas, também, a conhecer. Justamente por isso, o compromisso religioso central que dirige o coração controlará a inteligência, as afeições e as sensações. Em uma imagem muito bela, Herman Dooyeweerd resume esses ensinamentos bíblicos à vida inteligente da seguinte forma: "de fato, o autoconhecimento é, por natureza, religioso. O *self* humano é o ponto de concentração de toda a sua existência, de todas as suas funções ligadas aos diferentes aspectos da realidade temporal [...]. O *self* é, assim, o centro religioso, o 'coração', como dizem as Sagradas Escrituras, de toda a nossa existência temporal. É também o músico oculto tocando o teclado do pensamento teórico".[10]

A inteligência que Deus nos concedeu não é uma faculdade independente em um sentido espiritualmente superior. A beleza das ideias e a coerência dos pensamentos estão na harmonia da melodia que nasce de um coração conduzido por um músico experiente. Faz toda diferença em nosso trabalho intelectual saber quem está dedilhando as cordas do coração.

Outra maneira, ainda mais simples, de ilustrar essas verdades a respeito do ser humano é a imagem de uma casa. Geralmente, quando as pessoas se referem à vida religiosa e ao âmbito de suas convicções de fé, imaginam tratar-se de uma área da vida como todas as outras, ou seja, a fé é um quarto da casa, que possui outros cômodos similares mas com finalidades diferentes. É comum ouvir que a vida profissional (um cômodo) e a vida sentimental (outro cômodo) vão bem, apesar de a vida espiritual (mais um cômodo) estar um pouco empoeirada. Além de fazerem uma clara separação entre realidades sagradas e seculares, o que já está errado, essas pessoas colocam os compromissos de fé como um dentre outros aspectos da vida. Não existe nada mais distante do ensino bíblico que isso. Se quisermos continuar utilizando a imagem de uma casa, o coração de um ser humano e seus comprometimentos religiosos são, na verdade, as fundações ou os alicerces, isto é, aquela parte que ninguém consegue ver, que está debaixo da parte visível construída sobre ela, mas que, se estiver danificada, comprometerá toda a construção da parte visível. Só um engenheiro sabe a importância dos fundamentos invisíveis para a sustentação de um edifício visível.

Não é sem motivo que as Escrituras mencionam tanto os fundamentos. Em um caso assim, não é possível dizer que "minha vida profissional está indo bem, apesar de minha vida espiritual estar um pouco prejudicada", pois o prejuízo da fé comprometerá todos os aspectos da vida, assim como um alicerce malfeito pode derrubar um prédio inteiro. Essa diferença não é percebida por muitas pessoas e, por isso, não entendem a diferença entre uma casa construída sobre a areia e outra sobre a rocha (Mt 7.24-27).

Curadoria do coração

Quando defendo o modelo de vida intelectual controlada pela fé do coração, trabalho com uma ideia das Escrituras diferente daquela recuperada por uma longa tradição intelectual do

Ocidente. Uma vez mais, quem explica essa diferença é Herman Bavinck: "a Reforma deu um significado à fé diferente do que se entendia até então [...]. Mesmo que a fé possa ser chamada apropriadamente de conhecimento, ela era, como disse Calvino, muito mais uma matéria do coração do que da mente".[11]

O ensino dos reformadores foi marcado pela perspectiva bíblica segundo a qual o núcleo central da existência humana não é o cérebro, a vida política nem a profundidade da psique, mas, sim, o coração. Com isso, na verdade, entende-se que a característica definidora do ser humano não é a inteligência, mas a estrutura religiosa desse coração.

Uma contribuição importante para essa reviravolta na visão contemporânea do ser humano pertence a Willem Johannes Ouweneel. Ele ensina que o coração é, na Bíblia, a parte mais profunda, o próprio núcleo interno, real e essencial, da personalidade humana. Visto dessa maneira, o coração tem enorme importância religiosa. A religião, definida como a adoração e o serviço a Deus ou a um ídolo qualquer, diz respeito ao ser humano como um todo e, portanto, ao seu coração. "Quer um homem esteja voltado para o seu Deus, quer dê as costas a ele, a expressão disso será a mais profunda de seu coração."[12]

Falamos em estrutura religiosa porque o coração humano funciona "pela fé", isto é, por colocar sua confiança última em Deus ou em algo que desempenha o papel de deus na vida do indivíduo, do prazer ao poder, passando pelo dinheiro, a sexualidade, o conhecimento e até a própria inteligência. Em síntese, o comportamento desses indivíduos demonstra sua "adoração" a determinadas coisas e pessoas, ainda que se digam ateus.

Contemporaneamente, a maior prova de que nossos compromissos religiosos são inescapáveis está no movimento desencadeado por Alain de Botton, que ele chamou de "espiritualidade para ateus". *The School of Life*, a instituição fundada por Botton e que também possui uma filial no Brasil, visa a substituir o papel fundamental das igrejas na formação de capital intelectual, emocional e moral dos indivíduos modernos. Botton não tem nenhuma vergonha em admitir: "Na *The School of Life*, acreditamos que a cultura pode preencher o vazio criado pela 'morte de Deus'".[13]

Isso mostra que o coração do ser humano apresenta uma estrutura religiosa que não conseguimos negar. O apóstolo Paulo diz que podemos até trocar a divindade verdadeira pelas falsas (Rm 1.23), mas nunca conseguiremos ficar sem adorar algo ou alguém.[14] James K. A. Smith explora a dinâmica do "conhecer a partir do coração" quando nos lembra que Jesus não se contenta em depositar novas ideias em nossa mente, mas foca em nossos amores, anseios e vontades. Seu ensino não se limitaria a tocar o espaço de reflexão e contemplação de forma calma, fria e autocontrolada. "Ele é um mestre que invade as regiões apaixonadas do coração. Seguir Jesus é tornar-se um estudante do rabino que nos ensina a amar. Ser discípulo de Jesus é matricular-se na escola da graça."[15]

Quando passamos a enxergar o "coração" como o centro definidor da identidade humana, muitas coisas se transformam, especialmente a maneira como conduzimos a inteligência. Em vez de pensar no processo de formação cristã — a esquecida proposta de discipulado — apenas como um ciclo de palestras e debates, precisamos compreendê-lo como a catequese que almeja redirecionar o coração rumo aos propósitos para os quais fomos criados. Essa é a verdadeira curadoria do coração e o primeiro compromisso incontornável para usarmos a inteligência que Deus nos concedeu para a sua glória. A fé em Jesus precisa controlar a inteligência!

Muito antes de as metodologias de crescimento de igreja cooptarem a palavra "discipulado" para seus programas numéricos, um importante referencial de intelectual cristão estava escrevendo sobre a renovação do coração. Apesar de Dallas Willard ser conhecido pela sua distinta contribuição à teologia espiritual, ele também era um intelectual de nível acadêmico profissional em filosofia. No entanto, a despeito do seu trabalho técnico, ele estava convicto de que "vivemos do coração. A parte de nós que impulsiona e organiza nossa vida não é a física (isso é verdade ainda que neguemos) [...]. De lá vemos o mundo e interpretamos a realidade, fazemos escolhas, partimos para a ação, tentamos mudar o mundo. Vivemos dessa profundidade — a maior parte da qual não compreendemos".[16] Se quisermos lidar seriamente com a vida intelectual como uma vocação divina, precisaremos começar de onde tudo procede: o coração. Dessa forma, "a maior necessidade da humanidade — incluindo você e eu — é a renovação do coração. O lugar espiritual em nosso interior, de onde vêm nossas perspectivas, escolhas e ações, foi formado por um mundo distanciado de Deus. Agora ele precisa ser transformado".[17]

Essa opção pela renovação do coração como ponto de partida para a vida intelectual não deve ser interpretada como a adoção de uma visão irracionalista da vida. Ao contrário, a proposta é ampliar a compreensão dos usos que damos à inteligência, a fim de mostrar que os compromissos religiosos operam muito antes de produzirmos discursos, textos, músicas, peças legais ou qualquer tipo de artefato cultural.

A melhor maneira que encontrei de representar graficamente esse ensinamento é por meio da figura de um *iceberg*.

No diagrama abaixo, temos o resumo de tudo o que defendo neste capítulo. A leitura do desenho é simples: toda a experiência humana é semelhante à imagem de um *iceberg* em que as estruturas mais fundamentais do ser humano não estão visíveis acima do nível da água, mas submersas em locais inacessíveis.

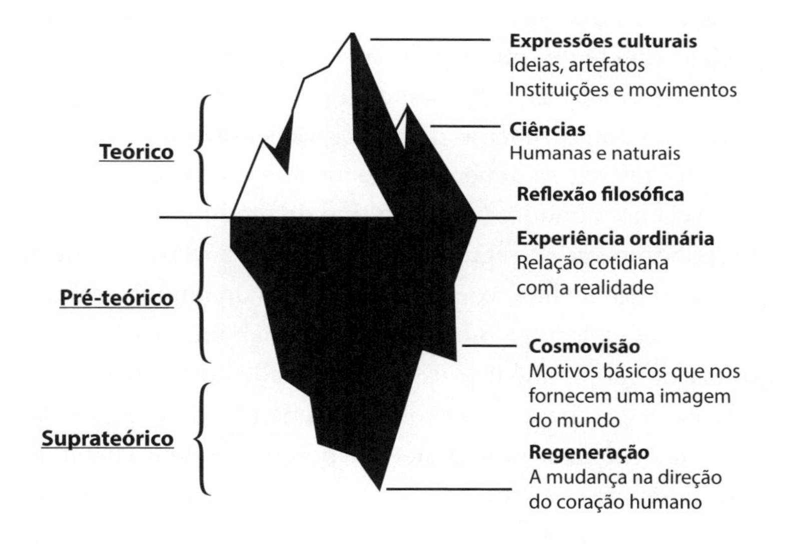

Observe que o mais superficial na experiência humana, o que conseguimos ver facilmente, são as expressões culturais, as disciplinas científicas e as filosofias de vida. Essas expressões visíveis são determinadas pelos âmbitos mais profundos da constituição do ser humano (a experiência ordinária, a cosmovisão e o estado religioso do coração). O inverso também é verdadeiro: se um coração foi regenerado por Cristo, necessariamente a cosmovisão dessa pessoa será cotidianamente alterada, modificando sua relação com os entes do mundo, sua filosofia de vida e a condução da vida intelectual e cultural.

Em síntese, a fé do coração determina a natureza das produções intelectuais.

As teorias em psicologia e psiquiatria nomeiam essas instâncias mais profundas do ser humano com os títulos de *inconsciente* e *subconsciente*. Não é disso que estamos falando aqui. Essas abordagens psicológicas acertaram num único aspecto: o ser humano é mais profundo do que aparenta. Entretanto, os diferentes níveis da experiência humana podem ser mais bem compreendidos como teórico, pré-teórico e suprateórico. As duas primeiras instâncias são simples de entender. A teórica refere-se à dimensão que transforma em teorias a experiência no mundo, isto é, todo tipo de produção intelectual de conhecimento. A segunda, pré-teórica, diz respeito àquela forma prática de lidar com as experiências do mundo sem refinamento intelectual, o que alguns chamariam de sabedoria prática ou simplesmente o uso não teorizado do cotidiano. Entretanto, a terceira e mais profunda dimensão da experiência humana é chamada de suprateórica porque se refere a um âmbito do ser que está fora do alcance de qualquer teoria (científica, médica, pedagógica ou psicológica), como também de qualquer apreensão de uma sabedoria prática e popular.

Essa última visão do ser humano é distintamente cristã. Ela está em absoluta antítese com os saberes humanistas que ensinam sobre a capacidade teórica de alcançar os âmbitos mais profundos das pessoas, seja pela terapia psicológica, seja pelo tratamento psiquiátrico, seja pela análise psicanalítica. Uma leitura indispensável para todos os cristãos envolvidos com esses dilemas antropológicos é o texto *Antropologia filosófica cristã*, de Gerrit Glas, cuja compreensão do ser humano se torna base para qualquer tratamento genuinamente bíblico sobre quem somos.

Seguindo alguns *insights* da filosofia de Dooyeweerd, Glas ensina:

> A questão do homem é uma questão religiosa. [...] O autoconhecimento é religioso em sua natureza, e esse fato está inscrito na própria natureza da existência humana como tal. O autoconhecimento é intrinsecamente vinculado com a *concentração* da existência em um *self* e com a *orientação* deste *self* em direção à verdadeira (ou suposta) Origem de significado [...]. A concentração da existência no coração, como um centro espiritual, não é um ato da vontade ou do pensamento consciente. Ela é um *pressuposto*, ou seja, algo que precisa ser assumido no momento que alguém começa a pensar sobre a pessoa humana. A estrutura, no sentido de uma coerência das subestruturas em uma totalidade mais ampla, e o dinamismo, no sentido da concentração religiosa em direção à Origem, vão de mãos dadas aqui. Dooyeweerd está, na verdade, dizendo *que a unidade da existência humana pode ser entendida apenas em termos do dinamismo religioso* desta existência. Nesse dinamismo a existência humana aponta além de si mesma para o Criador de tudo o que há. A negação desse apontar-além-de-si-mesmo como um *pressuposto* conduz inevitavelmente a algum tipo de dualismo ou monismo. Na inquietude da existência os seres humanos buscam um apoio ou suporte, uma origem do sentido. E esse suporte é comumente encontrado em algo na realidade temporal — no pensamento, ou na natureza humana biológica. Este "algo" é então visto como algo "*an sich*", em si mesmo, e então substancializado. O resultado disso é que a coerência entre as subestruturas é perdida e que um aspecto específico do funcionamento humano é destacado de forma unilateral.[18]

Ler uma argumentação como essa, vinda de um dos psiquiatras e filósofos da psicologia mais importantes da atualidade é um estímulo para todo cristão, nessa área. Glas é pródigo em explicitar como a antropologia cristã é diferente das antropologias seculares e, por isso, o ser humano só encontrará significado quando sua existência for reconectada à sua origem: o Criador.

Essa perspectiva precisa modificar consideravelmente as abordagens terapêuticas, por exemplo. Deve ficar claro que o coração do ser humano não está acessível às nossas capacidades teóricas em psicologia e psiquiatria. Pelo contrário, o que acontece ali determina e dirige todas as nossas teorias e os usos que damos à inteligência. Somente o profissional da saúde que conseguir relacionar bem tais convicções bíblicas com sua área de atuação conseguirá ser efetivo no auxílio que prestará.

O trabalho de teologia bíblica de Hans Walter Wolff é muito importante para nos ensinar o que a Bíblia diz a respeito dessa instância suprateórica. Basicamente, o princípio-chave é que esse âmbito da vida humana é acessível apenas ao próprio Deus e sua palavra. Assim, são numerosas as passagens bíblicas que associam o coração humano a um lugar inacessível. A antropologia cristã, ao colocar o coração em um âmbito suprateórico, acerta em destacar como essa estrutura humana diferencia-se de outros âmbitos, que são superficiais e, por isso, aparentes. A declaração bíblica clássica é: "O SENHOR, porém, disse a Samuel: 'Não o julgue pela aparência nem pela altura, pois eu o rejeitei. O SENHOR não vê as coisas como o ser humano as vê. As pessoas julgam pela aparência exterior, mas o SENHOR olha para o coração" (1Sm 16.7). O coração, ao contrário da aparência exterior, não está sob julgamento humano.

A implicação lógica do fato de que o coração se contrapõe a tudo que é externo no ser humano é que somente Deus e sua palavra podem operar no nível suprateórico. A Bíblia dá amplo testemunho dessa realidade: "Deus com certeza saberia, pois ele conhece os segredos de cada coração" (Sl 44.21); "Examina-me, ó Deus, e conhece meu coração; prova-me e vê meus pensamentos. Mostra-me se há em mim algo que te ofende e conduze-me pelo caminho eterno" (Sl 139.23-24); "A Morte e a Destruição nada escondem do SENHOR, quanto mais o coração humano!" (Pv 15.11); "Não se desculpe, dizendo: 'Não sabia o que estava acontecendo'; lembre-se de que Deus conhece cada coração. Aquele que zela por sua vida sabe que você estava ciente; ele retribuirá a cada um conforme suas ações" (Pv 24.12); "Pois a palavra de Deus é viva e poderosa. É mais cortante que qualquer espada de dois gumes, que penetra entre a alma e o espírito, entre a junta e a medula, e traz à luz até os pensamentos e desejos do coração" (Hb 4.12).

Não somos conhecedores de nós mesmos, o conhecedor privilegiado de nós mesmos é Deus. É a Escritura que age no âmbito mais profundo do nosso ser, regenera o coração e passa a dirigir a visão de mundo, a vivência cotidiana, a reflexão filosófica e toda nossa produção cultural. Como conduzimos a inteligência e a vida que Deus nos concede não está em sintonia com os modernos saberes humanistas das ciências humanas. Na verdade, precisamos redescobrir uma longa tradição de pensadores que organizaram suas ideias a partir dos dados bíblicos e foram fiéis em mostrar que só nos conheceremos verdadeiramente se o fizermos a partir do conhecimento de Deus.

Quanto à necessidade de recuperação dessa tradição agostiniano-calvinista, é imperativa a contribuição de Jonas Madureira em sua obra *Inteligência humilhada*. Jonas é muito feliz ao traçar a linha de conexão entre o pensamento do apóstolo Paulo e a ideia central do livro X da obra *Confissões*, de Agostinho de Hipona. Paulo afirma: "agora vemos de modo imperfeito, como um reflexo no espelho, mas então veremos tudo face a face. Tudo que sei agora é parcial e incompleto, mas conhecerei tudo plenamente, assim como Deus já me conhece plenamente" (1Co 13.12). Jonas assim se refere ao trabalho de Agostinho:

> Agostinho se apropria da última frase do versículo, quando diz "que eu te conheça, ó conhecedor de mim, que eu te conheça, tal como sou conhecido por ti" [...]. Quem é plenamente conhecido? Todos nós! O apóstolo Paulo, Agostinho, eu, você, enfim todos somos plenamente conhecidos por Deus. O contraste é fundamental nesse ponto. A virtualidade, o espelhamento, a parcialidade e a finitude são realidades ligadas aos homens e não a Deus, que jamais nos vê por meio de espelhos. Deus conhece, vê e contempla cada um de nós diretamente, face a face. E é justamente porque ele nos conhece assim que a nossa inteligência já se encontra humilhada. Mas por que humilhada? Porque, para conhecer a Deus, precisamos sempre de mediações, o que nos impede de, por nós mesmos, falar sobre Deus de maneira adequada; por sua vez, para conhecer-nos, Deus não precisa de nenhuma mediação... Nada compreendemos sem espelhos, nem a nós mesmos. Não nos vemos face a face. Você já parou para pensar que jamais se viu sem mediações? Todas as perspectivas que você tem do seu rosto sempre contaram com o auxílio de uma mediação. Você jamais se viu face a face. Em outras palavras, se Deus nos conhece face a face, isso quer dizer que ele nos conhece mais do que nós mesmos nos conhecemos [...]. Qualquer conhecimento verdadeiro que possamos ter de nós mesmos sempre será fruto da revelação, e não da mera inteligência. Não há autorreflexão que seja suficiente para nos levar ao autêntico conhecimento. O conhecimento que Deus tem de nós nos humilha não apenas porque somos ignorantes com respeito a ele, mas sobretudo porque somos ignorantes a respeito de nós próprios e, por conseguinte, dependemos dele para saber realmente quem somos.[19]

A vocação intelectual como disputa pelo discipulado do coração

Diante de tudo o que abordamos até este ponto, a primeira pergunta e a mais fundamental que precisamos fazer em nossa trajetória de compromissos da vida intelectual para a glória de Deus é: *Em que você deposita a confiança do seu coração?* Isto é, em que o seu coração encontra certeza, estabilidade e firmeza? A resposta a essa pergunta determinará como você conduzirá a sua inteligência.

A natureza do objeto em que depositamos a fé do coração dirige nossas ações, controla nossa experiência no mundo da vida e determina o pensamento científico e a produção intelectual. Em outras palavras, existem duas implicações da natureza religiosa do coração: a primeira é que todos depositam sua confiança última em algo; a segunda é que esse objeto de nossa confiança nos transformará ao nos moldar à sua imagem.

Caso o motivo básico do coração não seja a Palavra do Deus e Pai do nosso Senhor Jesus, certamente estaremos comprometidos com algo ou alguém que empobrecerá nossa experiência humana. Uma vez que Deus reina em nosso coração, temos condições de reorganizar todas as vivências em harmonia com sua Palavra criadora e normativa.

Essa visão bíblica do coração nos fornece a ponte necessária entre a vida terrena e as dimensões espirituais. Não precisamos mais viver tentando conectar teoria e prática, espiritualidade e trabalho, fé e razão. Cada uma dessas instâncias origina-se, é alimentada e mantém-se unificada no centro da identidade humana: o coração. É nele que estabelecemos os compromissos com Deus ou com os ídolos. Schuurman formula e resume essa perspectiva ao dizer que o pensamento científico pressupõe um pensamento não científico e é, em seguida, sustentado e até mesmo estimulado pela confiança ou pela fé. Essa confiança básica seria o centro da experiência humana.

Em outras palavras, para Schuurman, o crer direciona ou regula não só a experiência, as atividades práticas e o pensamento, mas também a ciência. Sob o comando da fé, todas as ações humanas são abertas e enriquecidas e, com isso, podemos afirmar que a fé é um estimulo à ciência. A prática da ciência é um mandato divino dado aos homens, uma oportunidade oferecida por Deus para examinar todas as coisas. "No processo de obedecer a esse comando, as pessoas descobrem muitas vezes coisas novas. Esse fato não contraria a fé cristã. Pelo contrário, uma ciência regulada é capaz de até mesmo enriquecer a própria fé! Um cientista, dotado de conhecimento científico, pode caminhar em direção à honra, à onipotência e à sabedoria do Deus criador."[20]

A vida intelectual como vocação aponta para uma disputa pelo coração. A fidelidade no uso da inteligência que Deus nos concedeu é uma consequência do compromisso do coração. O discipulado da inteligência, portanto, começa com um *check-up* do coração. É necessário fazer a oração do salmo 139 e pedir a Deus que nos sonde e nos mostre se existe em nós algum caminho mau. Por nós mesmos nunca conseguiríamos perceber isso, portanto precisamos da Palavra de Deus. Somente ela pode revelar o que está oculto no mais profundo do ser humano. A redescoberta desse *insight* bíblico nos livrará dos falsos pontos de partida que controlam a inteligência que Deus nos concedeu.

Não precisamos nos culpar se andamos longe dessa percepção por muito tempo. Importantes intelectuais que foram citados aqui também passaram por essa necessária disputa pelo coração. O testemunho intelectualmente mais marcante, na minha opinião, é o de Dooyeweerd que, no prefácio da sua obra mais importante, revela que, originalmente, ele esteve sob forte influência da filosofia neokantiana e, depois, da fenomenologia de Husserl.

> A grande virada em meu pensamento foi marcada pela descoberta da raiz religiosa do próprio pensamento, quando também uma nova luz foi lançada sobre a derrocada de todas as tentativas, incluindo a minha própria, de estabelecer uma síntese interna entre fé cristã e uma filosofia radicada na fé e na autossuficiência da razão humana. Nesse momento, compreendi o significado central de "coração", repetidamente proclamado nas santas Escrituras, como a raiz religiosa da existência humana. Na base desse ponto de vista cristão central, vi a necessidade de uma revolução no pensamento filosófico, pensada em um caráter profundamente radical. Em confronto com a raiz religiosa da criação, o que está em questão é nada menos do que a compreensão de como relacionar todo o cosmo temporal, em seus assim chamados aspectos "naturais" e "espirituais", a esse ponto de referência.[21]

O compromisso com uma fé que controle nosso pensamento significa uma virada na vida intelectual que, por sua vez, será responsável pela vida ou pela morte de nossa vocação para a glória de Deus.

4

O compromisso de uma confissão de fé em todo projeto intelectual

No final de um evento que reuniu os principais pesquisadores e filósofos da religião, Agnaldo Cuocco Portugal fez uma pergunta muito importante: a crítica que Dooyeweerd e outros filósofos cristãos fazem a todos os "ismos" do pensamento intelectual não seria só mais uma opção entre tantas outras? Isto é, essa perspectiva da fé que controla o pensamento não poderia se tornar uma crença exagerada na fé, uma espécie de "fideísmo"?

A afirmação de que *o centro da identidade humana é o coração com uma estrutura religiosa* não seria apenas uma teoria de "religiosismo"? Será que tudo é de fato religioso? E se for, então como saber se o que estamos fazendo é filosofia, ciência, arte ou política em vez de teologia?

Voltei para casa com essas questões em mente. Um questionamento muito parecido foi feito por Nicholas Wolterstorff ao pensamento de Abraham Kuyper. Em seu texto "*On Christian Learning*" [*Sobre o aprendizado cristão*], Wolterstorff manifesta algumas reservas quanto à visão de um ser humano muito focada no coração como centro religioso, defendida por Kuyper, Dooyeweerd e toda a tradição reformada.

Para Wolterstorff, a tradição calvinista tem seguido na direção do que ele chamou de "totalismo religioso", isto é, a convicção de que toda vida deve ser vivida em obediência a Deus em Cristo, e disso se depreende que a fé deve estar presente em tudo. Para ele, o impulso rumo à interpretação da vida do cristão autêntico como algo enraizado inteiramente na fé e não na natureza humana terá como contrapartida o impulso em direção à interpretação da vida do não cristão como algo enraizado inteiramente na idolatria e não na natureza humana.

A crítica de Wolterstorff atinge um elemento central em toda antropologia kuyperiana. Basicamente, se o coração é o centro religioso que controla toda a experiência humana, surge uma separação muito rígida entre os seres humanos: os cristãos genuínos, cujo coração foi de fato regenerado, e os não cristãos, com um coração de pedra, morto em seus delitos e pecados. Wolterstorff alega que essa visão do ser humano torna muito difícil explicar como os não cristãos conseguem ser artistas, cientistas, economistas, professores, médicos e todo tipo de profissional inteligente, com contribuições inegáveis para o bem comum. Em resumo, essa dependência fundamental da fé para uma vida autêntica excluiria a possibilidade de avaliar a autenticidade das produções intelectuais de não cristãos, daí a expressão "totalismo religioso".

Agnaldo Portugal atingiu o ponto central de qualquer esforço de desenvolver uma inteligência que não apenas deseja conhecer bem suas potencialidades, mas, acima de tudo, quer glorificar a Deus com aquilo que sabe fazer melhor. Ficou claro que todo indivíduo que quiser estabelecer alicerces intelectuais de maneira honesta e segura precisará se perguntar o que está na raiz de sua atividade teórica.

Apesar do questionamento de Wolterstorff, a certeza fundamental, que traz estabilidade não só para o pensamento mas para toda a existência humana, é de natureza religiosa. Nesse aspecto, outro representante do pensamento reformado é indispensável para responder essa questão. Há mais de dois séculos, Herman Bavinck se ocupou da mesma questão, demonstrando brilhantismo intelectual e fidelidade cristã. Para ele estava claro que a dúvida se tornou "a doença de nosso século": "Atualmente, várias pessoas levam em consideração apenas aquilo que conseguem ver; elas deificam a matéria, adoram a Mammon ou glorificam o poder". Para Bavinck, quanto mais a fé cristã se recusar a lidar com cada questão possível, restringindo seu conteúdo (material), e quanto mais ela se dedicar a edificar um fundamento rigoroso, deduzindo tudo a partir desses princípios fundamentais o mais logicamente possível, mais fraca e dividida se tornará.

> Que vantagem há no conhecimento, poder, fama e honra, se não pudermos responder à questão relativa ao nosso único conforto? Logo, nossa área de pesquisa é circunscrita como um chão sagrado, já que nela devemos adentrar com reverência e temor. Neste ponto, tocamos as profundezas mais íntimas do coração humano, e assim faz-se necessário, mais do que em qualquer outra instância, um espírito humilde e despojado, mas, ao mesmo tempo, a fim de entendermos a vida da religião em sua essência intrínseca, purificando-a de toda inverdade e erro.[1]

Apesar de soar muito acadêmico e filosófico, é muito importante para a vida humana e para a glória de Deus a preocupação com aquilo em que o coração deposita sua certeza e encontra estabilidade final para orientar toda nossa existência. Como escreveu Bavinck: "É vital à fé e à vida de fé o estudo pormenorizado da área dos princípios básicos, uma vez que não há questão mais importante do que aquela concernente ao fundamento de nossa fé, à certeza de nossa salvação, ao enraizamento de nossa esperança na vida eterna".[2]

Como a filosofia melhora minha vida e edifica minha fé

O que uma corretora de imóveis, um modelo fotográfico ou uma aluna de agronomia têm a ver com essas reflexões filosóficas? Mais que isso, qual é o ganho real que essas preocupações intelectuais trazem para a fé em Jesus de pessoas envolvidas em atividades tão diversas e não necessariamente acadêmicas?

Talvez o engenheiro holandês Hendrik van Riessen (1911-2000), profissional de uma área do conhecimento aplicado, possa nos ajudar a entender isso. Exemplo de cristão frutífero na vida intelectual, sua trajetória profissional cobriu várias áreas bastante cotidianas, como um longo período em empresas de telefonia e também como professor em institutos tecnológicos da Holanda. Apesar de toda essa vida dedicada aos ramos aplicados da ciência e da tecnologia, o legado de van Riessen se destaca pela atenção que deu às questões filosóficas e religiosas. Ele estava consciente de que "os cientistas que creem que a sua ciência está livre de filosofia já estão rendidos a *uma filosofia do acaso*".[3]

O que van Riessen quis dizer é que, por trás de tudo o que fazemos, sempre existem pressuposições filosóficas que influenciam nossa atividade teórica ou prática. Não ser consciente disso não nos exime da filosofia. Na verdade, ignorar esse fato nos faz aderir ao que ele chamou de "filosofia do acaso", ou seja, os resultados que alcançamos nas tarefas do dia a dia se tornam imprevisíveis. Essa falta de consciência filosófica era, para van Riessen, o que alimentava tanto a crise da civilização ocidental quanto o colapso nas ciências. "A menos que a crise se resolva", ele conclui, "a bancarrota de todo o pensamento teórico é inevitável".[4]

Todas essas convicções vindas de um engenheiro precisam afetar a maneira como pessoas normais olham para a atividade filosófica. Desde como um enfermeiro atende um paciente até as opções estéticas que um *designer* imprime em suas peças publicitárias, existe um elemento comum nas mais diversas atividades humanas teóricas: elas resultam de compromissos anteriores que a filosofia ajuda a esclarecer.

À revelia desse fato, quando aprendemos o ofício que se tornará o que melhor faremos em nossa vida, na maioria das vezes não nos é dito explicitamente o que está pressuposto naquela atividade. Na profissão de engenheiro, de economista ou de cozinheiro está implícita uma série de valores que somente o pensamento filosófico mais rigoroso pode trazer à luz. De certa forma, portanto, aquilo que um filósofo faz na condição de profissional (todos os dias, de maneira técnica, com a supervisão de seus pares), todos nós fazemos mais livremente, de modo inconsciente e sem o rigor de um discurso acadêmico. Portanto, *a filosofia pode enriquecer nossa vida e edificar nossa fé.*

Neste ponto é importante compreender o que exatamente faz um filósofo. Bertrand Russell explicou que as ciências em geral se ocupam de uma ou outra área do conhecimento, porém, quando se chega às regiões limítrofes e se vai além, passa-se da ciência para o campo da especulação. Essa atividade especulativa é uma espécie de exploração e, nisso, entre outras coisas, consiste a filosofia.[5]

Existem vários benefícios nessa definição de filosofia de Russell. Como entusiasta dos desenvolvimentos científicos e tecnológicos de sua época, ele se esforça em manter a atividade filosófica conectada às diferentes ciências, o que faz o saber filosófico se manter interdisciplinar e atual. Além disso, ele também dá aos filósofos características profissionais, eliminando desses indivíduos aquela aura "mística" que algumas pessoas imaginam quando pensam na filosofia. Em vez de pensarmos em uma espécie de "guru", ou "oráculo", que fala sobre a sabedoria com linguagem esotérica, Russell nos ajuda a ver os filósofos como trabalhadores normais, que lidam de maneira técnica com questões especulativas.

Vale destacar, no entanto, que a perspectiva de Russell defende um detalhe que o compromete profundamente, o que o desqualifica como exemplo para o uso da inteligência que Deus nos concedeu: para ele, filósofos não trabalham com suposições religiosas. Assim, ele acreditava que filósofo bom é filósofo ateu ou, no máximo, agnóstico. Qualquer tipo de dogma, rito religioso ou coisa sagrada comprometeria a atividade intelectual, pois ela se tornaria confessional e, assim, perderia rigor e legitimidade.

Com essas características, ele exemplifica perfeitamente a convicção popular de que a atividade intelectual é autônoma, neutra e objetiva. Todavia, conforme tratamos anteriormente, essa postura já é uma expressão de fé — no caso específico de Russell, uma expressão de fé na inteligência.

A necessidade de investigar a própria capacidade intelectual

Se muitos discípulos de Jesus que trabalham diretamente com a vida intelectual já têm dificuldade de assumir sua confissão de fé, que dirá colocá-la em um lugar de destaque na condução da inteligência. Não há grande concordância no pensamento de muitos filósofos: há quem reconheça e dê nomes explicitamente religiosos aos projetos filosóficos da modernidade e há quem rejeite totalmente qualquer rito ou dogma no trabalho intelectual.

Se formos além, perceberemos que essa falta de concordância não afeta apenas os filósofos. Basta lembrar como as discussões sobre pontos de vista, por exemplo, políticos, econômicos, familiares ou estéticos assumem polarizações tão viscerais em nosso meio, mesmo que sejam dois evangélicos discutindo sobre algum desses assuntos.

Essa realidade nos leva a perguntar: será que a incapacidade de concordar nas mais diversas esferas da vida não deveria nos levar a duvidar de projetos como o da inteligência conduzida para a glória de Deus?

Quero explorar essa discordância irremediável entre as diferentes tradições intelectuais para ajudar os intelectuais cristãos a assumirem uma postura pública relevante. Apesar de vários cientistas e todo tipo de intelectual das ciências humanas e sociais aplicadas professarem neutralidade racional, eles não conseguem concordar entre si. E esse fato não é banal. Qualquer aluno de um curso básico de lógica perceberia que estamos diante de uma falácia quando sustentamos a neutralidade das teorias científicas frente às discordâncias incontornáveis entre intelectuais das mesmas áreas de trabalho. O alto nível de discordância entre eles demonstra que não foi feita uma investigação rigorosa sobre as próprias capacidades intelectuais. Dizendo-se sábios, tornaram-se loucos!

A força da erudição cristã será sentida em cada esfera da vida quando escancararmos a superficialidade nos resultados intelectuais resultantes de usos não cristãos da inteligência que Deus nos concedeu. Dooyeweerd sugere o ponto central que precisa ser explorado em todos os âmbitos teóricos: ele vê nas discordâncias irreconciliáveis justamente o maior sinal da falência de qualquer proposta intelectual não cristã. Para ele, o dogma da autonomia do pensamento filosófico gera um problema crítico: em razão da falta de um sentido único, a pretensa autonomia não pode fornecer uma base comum para as diversas correntes filosóficas. Ao contrário, esse dogma parece ter continuamente impedido um contato real entre escolas e correntes filosóficas, o que comprova uma divergência em suas pressuposições mais profundas, as suprateóricas. Essa seria uma das razões por que não podemos mais aceitar a autonomia do pensamento filosófico como um axioma que daria expressão à condição intrínseca da verdadeira filosofia.

Para Dooyeweerd, se todas as correntes filosóficas que alegam estabelecer seu ponto de partida exclusivamente na razão teórica não possuem, de fato, pressuposições mais profundas, seria possível resolver entre elas e de forma puramente teórica todas as discussões filosóficas. Mas a situação real é bastante diferente. Um debate entre tendências filosóficas fundamentalmente opostas entre si em geral resulta em um raciocínio de propósito conflitante, "pois elas não são capazes de penetrar até os verdadeiros pontos de partida de seus pares. Elas parecem ser mascaradas pelo dogma da autonomia do pensamento filosófico".[6]

Por mais deselegantes e improdutivas que sejam as discussões sobre padrões estéticos ou preferências político-partidárias, por exemplo, elas apenas sinalizam na superfície aquilo que Dooyeweerd diz estar na base da inteligência humana. A fúria da batalha de todos os "ismos" na filosofia e nas ciências é a denúncia mais contundente de que os pensadores envolvidos começaram a trabalhar sem questionar se o seu ponto de partida era seguro. São como engenheiros que ergueram seu edifício teórico em um terreno sem condições de sustentá-lo.

Mesmo com toda pretensão de autonomia e rigor no raciocínio teórico, pensadores de primeira grandeza simplesmente não conversam entre si, mesmo que ambos sustentem a objetividade e a neutralidade de suas construções científicas e filosóficas. Não apenas eles, mas qualquer ser humano que, utilizando a inteligência que Deus lhe concedeu, não se ocupe em criticar previamente as condições de possibilidade do próprio pensamento está em má situação.

Com isso, quero deixar explícito que usar a inteligência para a glória de Deus, dentre outras coisas, significa estar consciente de que todos os projetos teóricos e todas as práticas são confessionais. Insistir em uma ingênua defesa da neutralidade e da objetividade da razão humana pode ser academicamente confortável e até elegante, mas esse *glamour* mascara o abismo sobre o qual muitas ideias são construídas, ou seja, à beira do nada, "sem fundamento" e, por isso, caminham inevitavelmente na direção do absurdo.

A pergunta do professor Agnaldo foi precisa, mas temos a resposta: a perspectiva da fé que controla o pensamento não se torna uma crença exagerada na fé — uma espécie de "fideísmo" nem uma teoria como o "religiosismo" — *pelo simples fato de que ajuda os indivíduos a reconhecerem os próprios limites intelectuais, e não pretende encontrar nas próprias capacidades cognitivas a última palavra sobre conhecimento, verdade e pensamento.* Na realidade, ela assume que o primeiro movimento da inteligência para a glória de Deus vem "de cima para baixo", isto é, parte da revelação de Deus e encontra nela seu fundamento, sua autoridade e as condições privilegiadas passíveis de desenvolver qualquer projeto intelectual em qualquer esfera da vida.

É importante sublinhar que seria, no mínimo, contraditório tentar encontrar a fundamentação última de todas as nossas certezas mais sólidas em elementos transitórios como a razão humana, a história, a natureza ou qualquer outra estrutura temporal. Os muitos que procedem dessa maneira inevitavelmente acabarão como descreveu Bavinck: "Não é de admirar que aqueles que antes buscaram, na ciência, a nossa salvação, estão agora afastando-se, desapontados, procurando na arte e no idealismo, na deificação do homem e no culto ao herói, nas religiões ocultas e orientais, aquilo que a ciência não nos pode fornecer e, no entanto, nossas almas ainda assim necessitam".[7] É um fato: quando se exige mais do que a racionalidade pode oferecer, inevitavelmente se produzirá irracionalidade. Ainda assim, há quem encontre dificuldade em aceitar esse argumento e até mesmo o critique. No entanto, onde alguns enxergam pontos de tropeço, nós encontramos nossa maior força e relevância.[8]

Uma vez mais, as argumentações de Dooyeweerd são importantes, pois ele mostra que quem ignorar as dimensões anteriores e mais basilares da própria reflexão intelectual acabará sem fundamento. Embora ele considere possível objetar essa relação que excede os limites da filosofia, isso certamente é verdade, uma vez que o pensamento filosófico está limitado ao horizonte temporal da experiência, com sua diversidade de aspectos. "Assim, uma reflexão filosófica que não se direciona para a relação religiosa central será obrigada a buscar o ego no horizonte temporal de nossa experiência a fim de evitar um resultado niilista. Consequentemente, tal reflexão abandonará a atitude crítica e fará do ego central um ídolo, absolutizando um dos aspectos."[9]

Assim, uma investigação honesta sobre os poderes da inteligência humana nos direciona à relação religiosa central. A fim de evitar justamente as idolatrias intelectuais, Dooyeweerd utiliza a imagem do coração para definir o que é central na constituição humana, em vez do cérebro ou da cognição. Afinal, na visão bíblica sobre o ser humano, o coração é onde todas as formas de ser humano estão reunidas e é exatamente ali que a revelação de Deus se dá, transformando esse coração de pedra em um coração de carne. Por isso que uma inteligência para a glória de Deus não pode satisfazer-se apenas com boa filosofia. Na verdade, a boa filosofia apontará para além dela e mostrará que antes de chegar ao nível teórico de nossa experiência humana, precisamos lidar com toda nossa vivência pré-teórica e, acima de tudo, a situação suprateórica de nossa personalidade.

Em outras palavras, a boa reflexão intelectual precisa se dar com base na transformação que ocorre no coração, operada pelo Espírito Santo, a partir da Palavra de Deus. Isso porque a vida intelectual se oxigena daquilo que borbulha no coração do ser humano, isto é, aquilo que ele ama e com que ele está comprometido.

A regeneração como ponto de partida da erudição cristã

O processo bíblico de transformação do coração chama-se *regeneração*. As formulações que Abraham Kuyper, em especial, fez dessa doutrina nos auxiliam muito, pois ele conseguiu manter-se fiel à revelação bíblica sem deixar de ser significativo para os desafios que a vida intelectual exige. Tudo isso fez dele outro paradigma no uso da inteligência que Deus lhe concedeu.

Veja, por exemplo, como sua compreensão da obra de regeneração do coração pelo Espírito Santo se alinha harmonicamente com o que falamos a respeito da erudição cristã:

"A regeneração é o ponto de partida. Deus se aproxima de uma pessoa nascida em iniquidade e morta em seus delitos e pecados e planta o princípio de uma nova vida espiritual em sua alma".[10] Kuyper deixa explícito, portanto, que o ponto de partida para todo e qualquer tipo de existência humana autêntica depende de uma ação de Deus. A imagem do *iceberg* mostra que a regeneração se refere à plantação em nosso coração de uma nova vida espiritual. Operando no nível suprateórico do ser, essa ação divina torna-se o elemento mais definidor de tudo aquilo que seremos.

Kuyper explica que a semente da regeneração é intangível, invisível e puramente espiritual, e que ela não cria duas pessoas em um ser, mas transforma a natureza da personalidade única daquele indivíduo. "A árvore enxertada não são duas, mas uma. Antes do enxerto havia uma roseira brava, depois há uma roseira cultivada. Ainda a nova natureza deve sugar sua seiva por meio da antiga."[11] Assim, o que Deus faz no ego, na alma, na personalidade ou, simplesmente, no coração humano é cultivá-lo segundo um novo princípio, uma nova lei de vida que converte sua natureza. Esse processo, que ocorre na raiz da personalidade, controlará aquilo que somos, fazemos e falamos — é a visão da fé que controla a inteligência.

Uma perspectiva em que o pensamento e a prática são controlados pela fé precisa, portanto, encontrar na implantação da fé no coração o primeiro e mais fundamental ponto de partida. É tão somente por isso que a revelação de Deus é a condição básica que possibilita a inteligência cristã e, ao mesmo tempo, impede qualquer outra forma de intelectualidade.

Da mesma forma que Agostinho argumentou na obra *Cidade de Deus* que toda a humanidade poderia ser compreendida a partir de duas cidadanias — a "cidade de Deus" e a "cidade dos Homens", caracterizadas por dois amores no coração de seus cidadãos —, Kuyper defendeu que há apenas dois tipos de ser humano e, por isso, somente duas formas de utilizar a inteligência. Embora os campos profissionais e até as estruturas cognitivas do ser humano sejam basicamente os mesmos, a antítese fundamental que distingue as pessoas e o uso que darão à inteligência dependem do coração de cada uma delas.

Isso não significa que descrentes em Jesus são incapazes de alcançar teorias verdadeiras. Apesar do coração de pedra dos indivíduos não cristãos, Deus derrama graça comum sobre todos os seres humanos a qual permite, à revelia deles, vislumbres da verdade. Assim, as conclusões a que um físico não cristão chega sobre as quatro forças fundamentais da natureza, por exemplo, são verdadeiras. Não se trata, portanto, de que um intelectual não cristão esteja privado da verdade, a questão é que ele sempre será incoerente consigo mesmo. Uma vez que a condição do seu coração ainda é de morte espiritual, ele sempre suprime a verdade por sua injustiça: a despeito de a verdade a respeito de Deus ter se tornado evidente, os não cristãos não adoraram a Deus nem lhe agradeceram (v. Rm 1.18-21).

Em resumo, usar a inteligência que Deus nos concedeu de uma forma que não o glorifica nem lhe tributa reconhecimento, em um primeiro momento pode até não nos levar a uma teoria de todo errada, mas necessariamente nos colocará em uma condição pré-teórica contraditória, pois o núcleo fundamental em nosso nível suprateórico permanece em oposição e rebeldia a Deus. Não devemos nos enganar com as dimensões superficiais do *iceberg* humano. Todas as nossas teorias sempre serão alimentadas e dirigidas pelos níveis não teóricos, por isso, cabe a nós fazer uma apreensão cristã das tradições e escolas científicas não cristãs. Apesar de não querer que elas sejam eliminadas, não devemos deixar de expor seus limites e suas contradições, causados pela falta de regeneração do coração. Por mais brilhante que seja um naturalista evolucionista, ele nunca conseguirá ser totalmente coerente, porque não é o acaso cego que dirige a realidade, mas a providência de Deus. Isso não é totalismo religioso, do que nos acusou Wolterstorff. Na verdade, trata-se do ajuste fino entre a regeneração divina do coração humano e o uso adequado de sua inteligência para a glória de Deus.

Hans Rookmaaker também legou à cristandade importantes contribuições sobre como usar a inteligência que Deus nos concedeu de modo não só criativo, mas fiel. Ele vai ao centro da questão quando nos mostra, com base no argumento do apóstolo Paulo, que o uso da inteligência não alimentada por um coração nascido de novo gera compreensões falsas da realidade:[12]

> Assim, eu lhes digo com a autoridade do Senhor: não vivam mais como os gentios, levados por pensamentos vazios e inúteis. A mente deles está mergulhada na escuridão. Andam sem rumo, alienados da vida que Deus dá, pois são ignorantes e endureceram o coração para ele.
>
> Efésios 4.17-18

Paulo estabelece a mesma conexão entre dureza de coração e ignorância, ou ainda alienação da vida concedida por Deus e a mente mergulhada na escuridão. Em contrapartida, a situação intelectual dos cristãos é absolutamente diferente:

> Mas não foi isso que vocês aprenderam de Cristo. Uma vez que ouviram falar de Jesus e foram ensinados sobre a verdade que vem dele, livrem-se de sua antiga natureza e de seu velho modo de viver, corrompido pelos desejos impuros e pelo engano. Deixem

que o Espírito renove seus pensamentos e atitudes e revistam-se de sua nova natureza, criada para ser verdadeiramente justa e santa como Deus.

Efésios 4.20-24

Ao manter a relação entre ensino-aprendizagem e transformação do coração, Paulo ensina que buscar utilizar a inteligência que Deus nos concedeu sem mantê-la alimentada por um coração regenerado é viver enganado. Por mais naturais que as capacidades cognitivas pareçam, seu correto funcionamento depende da renovação espiritual do coração. Nesse caso, deixar que o Espírito renove pensamentos e atitudes é o compromisso da confissão de fé em todo projeto intelectual. Trata-se da fé dirigindo e renovando a inteligência.

5

O compromisso da inteligência cristã não só na disciplina teológica

A ênfase que damos à confessionalidade cristã em qualquer projeto intelectual pode gerar estranhamentos. Alguém, talvez, se pergunte: "Quer dizer que todo mundo é, de alguma forma, teólogo? Como fica minha atividade intelectual? Sou um publicitário que faz, agora, *design* teológico? E a engenharia, também tem teologia?". Enfim, como distinguir iniciativa intelectual com ponto de partida radicalmente bíblico de disciplina teológica em si mesma, como ciência especial?

Essa dúvida não é trivial. Muitas pessoas ao longo da história do pensamento confundiram essas duas instâncias, que vamos manter separadas.[1] Para tanto, a distinção entre ciência e fé ajuda bastante, basta lembrar da imagem do *iceberg*, que explicita como a confessionalidade é uma expressão do coração do ser humano, um compromisso primordial que não apenas antecede as formulações teóricas, mas também as dirige.

Quando transpomos essa diferenciação para o âmbito da experiência de vida cristã, começa a ficar clara a distinção entre o ponto de partida radicalmente bíblico para nossa vocação intelectual e a teologia propriamente dita. Uma demonstração muito bem feita desses dois âmbitos é a de Herman Dooyeweerd. Por um lado, o holandês entendia a *fé cristã* como "verdadeiro conhecimento de Deus e de nós mesmos" e, por outro, definia *teologia* como: "a explicação teórica dos artigos da fé em sua confrontação científica com os textos das Sagradas Escrituras e com as visões heréticas".[2]

Essa diferenciação é muito importante para a vida cristã em geral, por três fatores, que elenco a seguir.

Primeiro fator: A regeneração como operação prática

Essa distinção nos livra de encarar a ação regeneradora do Espírito Santo no coração humano como uma operação teórica. O verdadeiro conhecimento de Deus e de nós mesmos, que transforma o coração, não apresenta natureza intelectiva ou científica. Sustentar isso seria o mesmo que acreditar que somos salvos e colocados em uma nova relação com a Trindade a partir de algum conhecimento "correto" que alcançamos — algo que só os gnósticos acreditavam, e que os apóstolos de Jesus combateram.

O nascimento verdadeiro de um filho de Deus não acontece quando o indivíduo aprende as doutrinas corretas sobre Cristo, sobre a Igreja ou sobre o pecado. O verdadeiro conhecimento de Deus e de nós mesmos "pode apenas ser adquirido pela operação da palavra de Deus e do Espírito Santo no coração, ou seja, na raiz e centro religioso de nossa existência e experiência humana em sua inteireza".[3]

Sempre que se refere a esse conhecimento verdadeiro de Deus e do ser humano, Dooyeweerd o chama de "motivo central das Sagradas Escrituras".[4] Isto é, em vez de um conteúdo específico retirado da Bíblia (uma doutrina ou uma seção do sistema teológico), *o princípio ativo na regeneração do coração humano é o cerne de toda a mensagem da revelação de Deus*. Esse âmago das Escrituras é resumido como: "aquele da criação, da queda no pecado e da redenção por Jesus Cristo no poder do

Espírito Santo".[5] Não é sem motivo, portanto, que esse famoso tripé criação-queda-redenção reaparece sempre que falamos sobre cosmovisão. No sentido religioso mais central do ser humano, o tema básico da Bíblia é a palavra de Deus, que atua no coração como o fundamento do conhecimento de Deus e de nós mesmos.

É a centralidade desse tripé que torna fundamental aprender a articular uma cosmovisão completamente bíblica ao desenvolver as categorias mais abrangentes do enredo da Bíblia. Essa visão unificada do enredo central da revelação de Deus é que nos permite compreender que a Bíblia não é mera reunião de histórias, poesias, lições morais e teológicas, promessas, princípios de orientação e mandamentos. Em vez disso, ela tem como motivo básico central uma estrutura que serve de ponto de partida para compreendermos tudo a respeito de nós mesmos, da realidade criada e do próprio Deus criador. A centralidade desse motivo bíblico precisa ser muito destacada em nossa vida intelectual. Ele é o ponto de partida e critério último para julgarmos toda forma de vida que procura glorificar a Deus.

Nas palavras de Michael Goheen e de Craig Bartholomew, autores da obra *O drama das Escrituras,* muitos de nós temos lido a Bíblia como se fosse apenas um mosaico de pequenas partes: algumas teológicas, outras morais ou histórico-críticas, trechos de sermões, reflexões devocionais e assim por diante. O problema é que, quando se lê a Bíblia de maneira tão fragmentada, ignora-se a intenção do autor divino de moldar nossa vida por meio da história que as Escrituras contam. "A idolatria distorceu a história cultural dominante do mundo ocidental. Se como cristãos permitirmos que essa história (e não a Bíblia) seja a base de nosso pensamento e ação, então nossa vida manifestará não as verdades das Escrituras, mas as mentiras de uma cultura idólatra".[6]

O tema central da Palavra de Deus revelada a nós, portanto, não é de natureza teórica, intelectual ou teológica, pois estamos falando de uma revelação que se deu por iniciativa de Deus. O ponto de partida para qualquer projeto intelectual, que faz que o trabalho de um indivíduo deixe de ser apenas bem feito para ser feito para a glória de Deus, é uma operação do Espírito Santo no coração, uma experiência de certeza suprema de que o Criador tocou o centro de nossa existência revelando-se a nós e revelando-nos a nós mesmos.

Essa certeza da fé não possui a mesma natureza que a verdade, ainda que elas estejam diretamente relacionadas. Ao regenerar o coração, o que o Espírito Santo faz não é depositar em nós novos conteúdos teológicos, mas sim renovar a qualidade de nossa existência, tornando-nos capazes de experimentar toda a diversidade de aspectos da realidade tendo como filtro unificador a revelação da Palavra de Deus.

Diante disso, precisamos fazer algumas formulações mais rigorosas. Se continuarmos utilizando os conceitos de maneira descuidada, deixaremos de apreender todo o significado do que Deus está fazendo com a inteligência que nos deu. Na ilustração do *iceberg*, a atividade filosófica ficou um pouco acima da experiência ordinária, vindo, em seguida, a cosmovisão. O correto seria colocar essas duas instâncias no mesmo limite da água que divide o *iceberg* em dois, porque reflexão filosófica e cosmovisão têm funções muito parecidas, ainda que sejam dimensões bem distintas da nossa vida.

Gosto das diferenciações que Dooyeweerd faz na sua investigação sobre a natureza do pensamento teórico e suas raízes religiosas. Buscando explicar a relação que existe entre filosofia e visão de mundo, ele deixou claro que, apesar de ter se tornado um clichê entre certos grupos de cristãos, a ideia de visão de mundo é mais refinada do que a mera impressão da vida de alguns indivíduos, impressão essa que alimenta suas convicções. A cosmovisão de alguém é sinônimo de uma "visão da totalidade", isto é, uma imagem que contempla a vida toda. Trata-se, portanto, de um elemento complexo que formamos ao longo da vida.[7]

Ao compreender isso, fica mais fácil perceber a estreita afinidade entre cosmovisão e filosofia, pois ambas "se dirigem essencialmente à totalidade do sentido do cosmo. Uma visão de mundo e de vida também implica um ponto arquimediano. Assim como a filosofia, ela tem seu motivo-base religioso [...] e não está restrita a uma categoria especial de 'pensadores filosóficos', mas se aplica a todos, incluindo os mais simples".[8]

Quando eu e você queremos apresentar a visão que temos da totalidade das coisas, isto é, a nossa imagem do mundo, expomos nossa cosmovisão, e em geral o fazemos por meio de uma história. As narrativas são preferidas para explicar aquilo em que cremos, de onde viemos, o que aconteceu com a realidade e para onde nos dirigimos. No entanto, quando começamos a nos ocupar de níveis teóricos refinados sobre essas questões, começamos a fazer filosofia. Essa é a relação estreita entre as duas, mas que ao mesmo tempo as separa, pois uma é do âmbito pré-teórico enquanto a outra é de natureza puramente teórica.

Toda essa explicação serve para reafirmar que a atividade do Espírito Santo no coração humano não é de natureza teórica, como se Deus, ao nos salvar, depositasse um mínimo doutrinário em nossa mente. Na verdade, ele oferece apenas uma *direção*,[9] e essa é a palavra-chave. Enquanto o coração de um descrente vai na direção contrária à vontade de Deus, o coração de um regenerado parte em direção à Palavra de Deus. Essa mudança é, ao mesmo tempo, radical e integral, o que significa dizer que ela atinge o mais profundo do ser humano e, a partir disso, determina toda a existência humana.

Essa é a natureza sobrenatural de toda e qualquer iniciativa intelectual cristã. Por isso, precisamos enfatizar que é exclusivamente pela operação do Espírito Santo que o coração pode ser aberto à Palavra de Deus. É a partir dessa revelação que passamos a encarar todas as experiências da história com outros olhos, enxergando Deus como Criador e o ser humano como criado à sua imagem. Sempre que a imagem divina não é refletida em nossa existência mais corriqueira, estamos claramente na direção contrária assumida pelo coração após a queda no pecado. Até que esse coração encontre redenção em Cristo, estará fadado à ingrata busca de descanso em qualquer coisa que não sua origem divina.

Segundo fator: A teologia não é suficiente

A diferenciação entre o conhecimento verdadeiro de Deus (*fé cristã*) e a ciência teológica (*teologia*) nos mostra que não é necessário ser doutor em teologia para ser um crente verdadeiro.

Seria absurdo pensar que somente aqueles que decoraram uma teologia sistemática ou que leram os melhores comentários bíblicos teriam as credenciais de verdadeiros filhos de Deus. Pensar assim seria o mesmo que confundir formulações teóricas de seres humanos com o verdadeiro conhecimento de Deus, produzido em nosso coração pelo Espírito Santo e que nos leva a adorá-lo.

Isso torna inaceitável para a erudição cristã qualquer tentativa de substituir a visão de mundo bíblica por qualquer formulação teológica. O indivíduo mais simples e intelectualmente humilde que confessa o Senhor Jesus Cristo como salvador está em condições iguais (ou, às vezes, melhores) que o estudante de doutorado em teologia que escreve sobre a dupla natureza do Redentor. Isso não acontece porque a teologia não é importante, mas, como já dissemos, porque a certeza que nos leva a reconhecer quem Deus é e quem nós somos não é de natureza teórica, mas, sim, uma ação sobrenatural no coração. Justamente por isso, não são necessárias condecorações acadêmicas para ter uma fé genuína em Cristo e saber profundamente como carecemos dele.

Precisamos adotar uma postura diferente. O conhecimento verdadeiro de Deus e nosso autoconhecimento, produzidos pelo Espírito Santo no coração regenerado, precisam ser a pressuposição fundamental de qualquer teologia que pretenda ser cristã. Mantenha sempre em mente a ilustração do *iceberg* para poder entender esse ponto. Projetos teológicos muito contextualizados, relevantes e até de grande impacto para a sociedade atual mas que não buscam seu ponto de partida no tema central das Escrituras estão com o coração comprometido com outra pressuposição que não a revelação de Deus.

Um dos melhores críticos a esse fenômeno crescente de teólogos descrentes é John Milbank. Ele até parece escrever sobre alguns dos professores de teologia e ciências da religião que povoam as universidades brasileiras que, em nome de valores muito republicanos e politicamente corretos, abriram mão dos compromissos bíblicos centrais em nome de um diálogo sem nenhuma antítese. Esse problema não é novo, ao contrário, trata-se de algo que já se verificava no discurso do primeiro intelectual autointitulado filósofo: Justino, o mártir (100-165 d.C.), que buscou por toda sua trajetória acomodar a formação intelectual recebida dos gregos ao motivo básico bíblico. É claro que o resultado foi catastrófico.

Como apologeta, Justino buscou amenizar as diferenças entre essas cosmovisões, a fim de facilitar ao pagão a transição para a fé em Cristo. Seu objetivo era mostrar que cristãos não são bárbaros ignorantes, mas pessoas intelectualmente respeitáveis, hábeis para discutir questões com as grandes mentes da cultura. "Em meu julgamento, a tentativa de fazer o cristianismo intelectualmente respeitável, e ainda por cima fácil de acreditar, é um dos equívocos mais comuns e fatais de apologetas e filósofos cristãos ao longo da história", explica John Frame. "Ele ignora o princípio bíblico fundamental de que pessoas pecadoras reprimem a verdade e precisam receber do Espírito de Deus um coração e uma mente renovados. Portanto, essa abordagem do lugar comum leva à distorção da teologia cristã em si mesma."[10]

A busca por relevância cultural é a principal traição dos intelectuais cristãos. Na tentativa de tornar a fé cristã intelectualmente respeitável para o mercado de trabalho, para os saberes acadêmicos ou mesmo para a mídia de massa, vários cristãos simplesmente empobreceram o conteúdo dela, ignorando o princípio bíblico fundamental da antítese entre o coração de um discípulo de Cristo e o das outras pessoas. Com certeza, precisamos de intelectuais cristãos melhores, mas isso só será possível com indivíduos nascidos de novo.

Alister McGrath, um dos principais nomes da teologia evangélica contemporânea, descreve o que é uma boa prática intelectual cristã: uma boa teologia é como um bom mapa que representa a paisagem das Escrituras. Em outras palavras, a teologia tem uma função bem clara, que precisa ser efetivada com precisão: "Descrever em palavras o que encontramos pela fé. Quando entendemos a teologia de forma apropriada, ela nos ajuda a articular, aprofundar e comunicar, em toda a sua plenitude e prodígio, a visão cristã de Deus".[11]

Essa imagem do mapa nos ajuda a compreender a verdadeira função da teologia. Pense em um aplicativo para celulares de pesquisa e navegação em mapas gerados por satélites, como o *Google Maps*. Por melhor, mais atualizado e preciso que ele seja, seu valor é relativo. Ninguém substitui a própria realidade pelo caminho gerado na tela do celular. Fechamos o aplicativo quando chegamos ao destino, pois ele só tinha relevância enquanto precisávamos nos guiar por um caminho que não conhecíamos. Inclusive, se o aprendermos, da próxima vez já não utilizaremos o mapa.

O mesmo vale para a teologia. Os grandes temas teológicos só surgem posteriormente à realidade da revelação de Deus e se manterão sempre relativos à Palavra. O verdadeiro conhecimento do Senhor e o autoconhecimento gerado no coração humano só se torna uma questão teológica quando abstraímos o aspecto da fé da experiência cotidiana. O conjunto de doutrinas da teologia cristã é o resultado de um recorte artificial de um aspecto da experiência que, naturalmente, vivemos sem abstrações.

Nesse sentido, quando a atividade de cartografia típica da teologia se preocupa demais com o mapa e se esquece da paisagem, deparamos com perigos iminentes. Um deles é se concentrar de modo especial em uma parte preferida da vista, ou pela qual se impressionou, excluindo o restante. Essa é a razão que aparentemente leva tantas formulações teológicas de denominações, movimentos e conjuntos de igrejas a simplesmente esquecer que existem outros elementos da paisagem bíblica ignorados em seu mapa. Outro perigo é a construção de mapas teológicos que não correspondem à paisagem bíblica. São apenas representações intelectuais úteis em áreas como a sociologia, a ciência política, a antropologia e as ciências naturais, mas, de forma alguma, correspondem à revelação da Palavra de Deus. Afinal, de que vale consultar um mapa da Califórnia para se locomover em São Paulo?

É justamente por isso que precisamos tomar muito cuidado ao discernir, como recomenda Dooyeweerd, a palavra de Deus em sua *realidade plena e atual* e em seu *sentido restrito* como objeto do pensamento teológico. A realidade nunca pode ser teorizada ou reduzida a afirmações intelectuais, pois se trata da própria revelação de Deus a nós em nosso coração, enquanto a palavra como teologia é apenas uma formulação limitada e dependente da primeira. Se a primeira é uma questão relacional — gerada por Deus, que produz em nós uma certeza de fé —, a segunda é "uma paixão da mente, um desejo de entender mais sobre a natureza e os caminhos de Deus e o impacto transformador que isso tem na vida".[12]

Essa distinção precisa nos ajudar a identificar e respeitar os limites da atividade teológica, para que também possamos apreciar o que ela pode oferecer de bom à vida cotidiana. A teologia não salva ninguém, pois não é a precisão dos conceitos teológicos que determinam a veracidade da nossa confiança em Deus. O maior perigo que os amantes da teologia podem enfrentar é o de transformar a atividade teológica no mediador entre Deus e os seres humanos: se o anti-intelectualismo é um problema, o superintelectualismo também é. Fazer da teologia a condição necessária para nossa relação com Deus seria não só um atestado de incompreensão do que é essa atividade intelectual, mas, também, uma grande idolatria da racionalidade no processo de conhecer a Deus e a nós mesmos. Ao agir assim, muitas pessoas empobrecem sua experiência de vida, em vez de enriquecê-la.

Pense novamente no mapa. Quem se acostuma a sempre usar o aplicativo de celular para chegar ao destino desaprende a dirigir sem ele. Nesse caso, a tecnologia engoliu uma habilidade que qualquer um poderia possuir se não tivesse se limitado aos mapas. O mesmo acontece com alguns teólogos: eles perderam a capacidade de experimentar aquela unidade espiritual radical das Escrituras sem a mediação de categorias teológicas. Para Dooyeweerd, se isso acontece, estamos perdidos, pois a teologia dogmática e a exegese são trabalho humano, suscetíveis a todos os tipos de erros, discordâncias de opiniões e heresias. "Podemos até dizer que todas as heresias são de origem teológica."[13]

Em contrapartida, se esse perigo for superado e a teologia, posta em seu devido lugar, ela se apresenta como uma atividade maravilhosa, que tem muito a oferecer para nossa vida cotidiana. Embora a confiança de um cristão intelectualmente humilde em Deus não possa ser *medida* pela teologia de um estudante, essa confiança pode ser *compreendida* de maneira mais rica e precisa graças à teologia. A boa compreensão teológica faz que nosso trabalho seja executado de maneira agradável a Deus, que as igrejas tenham celebrações em maior conformidade com as Escrituras e que até mesmo a sociedade aprenda a encarar seus fenômenos sob um aspecto da fé. Enfim, quando tratada dentro de seus limites, a teologia presta um bem ao público.

Terceiro fator: Inteligência cristã para além da teologia

A distinção entre a ação do Espírito Santo no coração e a teologia nos mostra que não é necessário ser teólogo para ser um crente inteligente. Aqui temos uma lição para todos aqueles que buscam glorificar a Deus com a inteligência que receberam, mas não foram chamados para ser teólogos ou pastores. Encarar a vida intelectual como uma vocação cristã não pode ser sinônimo de transformar nossa profissão, ou aquilo que amamos fazer, em alguma subárea da teologia. O *designer* cristão que quer glorificar a Deus com cada peça publicitária criada não precisa se preocupar em encaixar em alguma parte do sistema teológico as ideias comunicadas por suas criações. Nem o empresário precisa restringir a glória de Deus aos momentos de devocional e leitura bíblica que promove no escritório.

Na verdade, a preocupação que eles precisam ter é de outra natureza: não é naquele sentido restrito da Palavra de Deus, como objeto do pensamento teológico, mas na realidade plena e atual da Palavra de Deus como o princípio motor do coração, que guiará todos os aspectos da experiência pessoal e comunitária. Cada cristão, seja ele um profissional da teologia ou não, precisa se perguntar se a diversidade de aspectos da sua vida é unificada pelo tema central da criação, da queda no pecado e da redenção por Jesus Cristo na comunhão do Espírito Santo. Somente essa unidade espiritual radical é a chave para o conhecimento de Deus e o autoconhecimento verdadeiro.

O grande problema é que esse tipo de preocupação não é ensinado nas universidades e, infelizmente, também tem sido cada vez mais raro nas igrejas. O que vemos todos os anos, quando um estudante é lançado ao mercado de trabalho, é uma exclusiva — e, por isso, reducionista — ocupação com o *quê* concreto de cada profissão, isto é, as coisas, os eventos e as relações sociais particulares que experimentamos. Mas pouco tempo é gasto em pensar nos diferentes *como* das coisas, dos eventos e das relações.

Imagine um grupo multidisciplinar de engenheiros trabalhando no projeto de um novo produto. A forma mais simples de executar tal projeto seria a que leva em consideração apenas alguns aspectos: o físico (do que será feito), o lógico (como será feito), o econômico (quanto custará para fazer e vender) e o jurídico (se ferirá alguma lei). E justamente porque, durante muitos anos, o padrão no mercado de trabalho foi a produção pragmática e reducionista que várias indústrias e empresas, ao pensarem em *como* seus produtos funcionarão em outros aspectos, propagandeiam sua plataforma de produção. Diferencia-se da concorrência a empresa com preocupações no aspecto biótico (sustentabilidade e impacto na natureza) ou, então, as empresas com consciência da dimensão sensitiva (impacto psicológico dos funcionários e clientes). Enfim, sensibilidade com o desenvolvimento histórico, com as relações sociais e até mesmo com o impacto ético de um produto são imperativos cada vez mais exigentes para a proeminência de um profissional.

A mesma consciência ampla da variedade de aspectos envolvidos na experiência humana é exigida do cristão como *profissional*, mas com um desafio adicional como *cristão*: perguntar-se como o processo em que está envolvido profissionalmente funcionaria em uma direção que contribuísse com o serviço do Deus que criou todas as coisas e que está redimindo cada uma delas em Cristo. Em termos práticos, significa dizer que o profissional cristão precisa valorizar, mais do que qualquer outro, cada um dos aspectos da realidade, pois Cristo é soberano sobre todos eles e igualmente interessado em redimi-los. O que é moda hoje no empreendedorismo já é há tempos um imperativo para os cristãos.

Em contrapartida, esse profissional cristão precisa usar a inteligência a fim de não permitir que o trabalho fique reduzido a um aspecto da experiência. O agricultor que planta sem pensar no impacto natural, o *designer* que cria pensando apenas em manipular reações dos espectadores ou o comerciante que fecha negócios visando apenas a obter os melhores lucros não permitiram que o "quê" concreto de sua atividade profissional apontasse para além do que normalmente acontece.

Só é possível ultrapassar as preocupações corriqueiras da agricultura, da publicidade ou do comércio quando se tem a confiança moldada por uma dimensão mais alta da realidade. No caso dos cristãos, apenas aqueles que tiveram o coração realmente tocado pelo verdadeiro conhecimento de Deus serão capazes de direcionar a confiança para o que "agrada mais o Deus e Pai do nosso Senhor Jesus", em vez de depositar a confiança no que "é mais comercial" ou no que "segue as principais tendências do mercado".

Somente corações regenerados pela Palavra e pelo Espírito podem confiar em algo mais seguro que a natureza, a sociedade, o mercado ou a beleza. Não basta ser capaz de produzir inteligentemente o que é mais bonito, avançado, rentável ou bem-sucedido. Ter uma inteligência confessional diz respeito à capacidade de fazer tudo isso confiando que o ponto de partida mais seguro para explorar a diversidade de aspectos da realidade são os elementos centrais da narrativa bíblica. Ou seja, continuar fazendo ciência, arte, política e economia — e não apenas teologia —, mas "como se não..." (1Co 7.29). Continuamos comprando e vendendo, mas o fazemos "como se não possuíssemos nada", pois não depositamos a confiança do coração em nenhum produto ou lucro. Continuamos a usar todas as coisas deste mundo, mas o fazemos "como se não as usássemos", porque o coração está apontando para uma direção que as ultrapassa muito e, por isso, não se limita a nenhuma delas.

O compromisso da inteligência que procura ser confessional em toda e qualquer iniciativa em que está envolvida não é o de fazer teologia no laboratório, devocionais na indústria ou arte sacra na agência de publicidade. Trata-se do esforço urgente de fazer ressoar em cada ideia, artefato e relação social os princípios centrais da Palavra de Deus.

A meta torna-se, então, deixar que a criação de Deus, que caiu no pecado, seja integralmente redimida *em Cristo*, e não em qualquer outra iniciativa humana. É essencial para o cristão comprometer-se com a tarefa de deixar o motivo bíblico central revolucionar a totalidade de sua experiência temporal.

O fim da era secular: uma questão de vida ou morte

Uma proposta que enfatiza tanto o sentido religioso da existência humana não tem encontrado espaço em nossa cultura secular. Não foram poucos os pensadores que classificaram o período em que vivemos como uma era secular. Um exemplo foi Charles Taylor em sua monumental obra *Uma era secular*, em que explica o declínio da fé cristã e a propagação do secularismo no Ocidente nos últimos cinco séculos.

Taylor descreve as condições que possibilitaram uma mudança central na fisionomia religiosa do Ocidente. O cenário predominante antes e depois da Reforma Protestante, em que a fé era uma prática coletiva e uma responsabilidade para o bem comum, simplesmente desapareceu. A religião, hoje, na era secular, é comumente encarada como um assunto de foro íntimo. Não é sem motivo que os grandes esforços públicos da fé evangélica estejam em torno de iniciativas de proteção constitucional de prática da religião em esfera pública. Se ela não estivesse sendo posta sistematicamente para fora do debate mais amplo da experiência humana, não teríamos de defender esse direito.

Taylor argumenta que foram práticas dos cristãos reformados e seus herdeiros evangélicos contemporâneos as responsáveis por produzir essa fé cristã privatizada. Em lugar do Deus e Pai do nosso Senhor Jesus, tal como ele se revela na sua Palavra, o Ocidente foi preferindo um "deísmo terapêutico moralista", isto é, uma imagem divina distante do nosso cotidiano, que procura apenas suprir as carências à base de prescrições rígidas sobre a conduta moral. Sem sombra de dúvida, essa é a imagem de Deus que a maioria dos evangélicos conhece: um deus sem muita conexão com os assuntos da vida "secular", que se mantém distante na "esfera sagrada" e está sempre pronto para nos fazer felizes (nos "dar a vitória") se mantivermos o bom comportamento.

É praticamente irreversível em nossa sociedade a ideia de que o processo de secularização veio para ficar. A dimensão confessional foi privatizada e Deus foi posto totalmente de fora do debate público sobre qualquer coisa. Recorrer à divindade para falar sobre inteligência é, hoje, praticamente uma contradição: se algo de fato se sustenta intelectualmente, não pode precisar de Deus nem depositar confiança alguma nele.

Ainda assim, nossa conclusão contradiz essa tendência dominante destes tempos seculares. Prefiro estar mais próximo do pensamento de Giorgio Agamben, outro intérprete da cultura contemporânea. Apesar de não ser um paradigma de vida intelectual para os cristãos, por ser historicista e relativista, entre outros predicados, ele é útil quando nos mostra que o Ocidente nunca foi secular, mas sempre foi profano! Essa mudança é sutil e brilhante. Em vez de ler a cultura pela secularização, ele argumenta que, na verdade, profanamos ideias e práticas religiosas (lembrando que profanar é dar outros usos a objetos, ritos e pessoas sagradas).

Para Agamben, o que a cultura Ocidental fez nos últimos 500 anos foi exatamente uma profanação da visão de mundo cristã: transferiu para outras instituições e relações sociais todos os conceitos, ritos e a confiança típicos da fé cristã. O resultado é que a sociedade se revela, hoje, não secularizada e "autônoma" da dimensão religiosa, mas hipócrita, pois mascara suas crenças e sua confessionalidade, embora não deixe de crer no mercado, na ciência, na tecnologia, no progresso ou na racionalidade.

Para nossos interesses, a categoria de "profanação" é muito mais útil do que a de secularização. Além de descrever o que de fato acontece na sociedade cotidianamente, o conceito de profanação também nos ajuda a pensar o que devemos fazer com os falsos deuses: profaná-los. Se a sociedade sacralizou o dinheiro, nós o profanamos ao doá-lo e não permitir que guie nossa vida. Se a universidade ou a ciência sacralizou a inteligência, nós a profanamos, submetendo-a à obediência à revelação de Deus. Para cada ídolo, um sacrilégio diferente, mas que, no fundo, tem um princípio dominante: só teremos condições de deixar de adorar falsos deuses quando adorarmos o Deus verdadeiro.

A crítica a uma inteligência confessional que se baseie na secularização não apenas é falsa, mas, também, ingênua, pois todo projeto intelectual tem em suas pressuposições uma base confessional — seja no Deus e Pai do nosso Senhor Jesus, seja em deuses falsos. Essa convicção precisa nos ajudar a deixar de ver nossa era secular como uma sociedade em que o processo de desencantamento do mundo e, até mesmo, da sua desteologização é inevitável. Em vez disso, deveríamos seguir a sugestão de James K. A. Smith, para quem uma era secular "não diz respeito ao *que* as pessoas acreditam, mas muito mais ao que é *acreditável*". Para ele, a diferença entre nossa moderna era "secular" e as eras passadas não é, necessariamente, o catálogo de crenças disponíveis, mas os padrões aceitáveis do que é crível.[14]

Com isso, Smith nos ajuda a perceber que nosso tempo não é marcado pela descrença, como se secularização fosse sinônimo de libertação de padrões confessionais. Nem mesmo o ateísmo é o grau zero da crença. Ao contrário, o que aconteceu é que as condições para a crença mudaram e as pessoas tendem a desqualificar determinadas apresentações da religiosidade. No entanto, elas nunca poderão abrir mão de qualquer confessionalidade na forma como conduzem sua inteligência.

Em um cenário assim, os cristãos não podem permanecer com uma postura de falsa humildade. Na verdade, esse senso comum de que a religião cristã não deve marcar presença na esfera pública é a principal causa de nossa irrelevância cultural. Segundo Milbank, "se a teologia não procurar mais posicionar, qualificar ou criticar outros discursos, será inevitável que esses discursos venham a posicioná-la".[15] Uma teologia cristã que foi "posicionada" pela razão secular e autônoma já não consegue oferecer uma alternativa genuinamente cristã para cada esfera da realidade.

É por essa razão que o fim desta era "secular" é uma questão urgente. Reduzir a esfera de influência da inteligência e da criatividade cristãs à igreja local, ao domingo e ao culto é ser incapaz de reconhecer a gravidade do problema. Como a questão de nossa era secular vai muito além de dar respostas teológicas aos jovens, o grande desafio de uma inteligência que glorifica a Deus não é gerar conteúdos para o cérebro, mas confiança para o coração.

João Calvino argumentou que o conhecimento verdadeiro e sólido, que opera no coração, consta de duas partes: o "conhecimento de Deus" e o "conhecimento de nós mesmos". Porém, "como eles se entrelaçam com muitos elos, não é fácil discernir qual deles precede ao outro, e ao outro origina".[16] Em outras palavras, o que ele está argumentando é que a falta daquele conhecimento verdadeiro sobre quem é o Deus e Pai do Senhor Jesus — que apenas a revelação bíblica proporciona — automaticamente afeta nossa visão de quem somos. A maneira dogmática e secular como muitas pessoas conduzem a inteligência é o resultado de um coração que não conhece a si próprio e nem mesmo a realidade última de Deus, pois preferiu confiar em outro que não o tema central das Escrituras.

Nossa era secular é apenas o resultado de algo mais profundo que não pode ser resolvido apenas com a apologética que lança versículos bíblicos na cabeça das pessoas. Nas palavras de Dooyeweerd, entre sagrado e secular, entre confessional e racional, entre fé e razão, "todo autoconhecimento real é dependente do conhecimento de Deus, uma vez que o ego é o assento central da *imago Dei*".[17] Tão somente quando nos rendemos ao motivo bíblico central e, assim, descobrimos quem Deus é, alcançamos autoconhecimento e percebemos as reais dimensões de nossa inteligência. Quando isso acontece, torna-se impossível para todo projeto intelectual não ser confessional. Mais que isso, a maneira como conduzimos a inteligência e a criatividade se torna uma questão de vida ou morte:

> Assim, o tema central das Escrituras sagradas, ou seja, a criação, queda no pecado e redenção por Jesus Cristo na comunhão do Espírito Santo, tem uma unidade radical de sentido que está relacionada à unidade central da existência humana. Ele efetiva o verdadeiro conhecimento de Deus e de nós mesmos, se nosso coração estiver realmente aberto para o Espírito Santo de forma a se encontrar cativo da palavra de Deus e prisioneiro de Jesus Cristo. [...] Sua aceitação ou rejeição é uma questão de vida ou morte para nós, e não uma questão de reflexão teórica. Nesse sentido, o motivo central das sagradas Escrituras é o ponto de partida comum, supracientífico, tanto de uma teologia bíblica quanto de uma filosofia realmente cristã. Ele é a chave do conhecimento, a qual Jesus Cristo mencionou em uma discussão com os escribas e doutores da lei. Ele é a pressuposição religiosa de qualquer pensamento teórico capaz de reivindicar para si, com justiça, a posse de um fundamento bíblico.[18]

A seriedade da questão sobre a confessionalidade de nossas iniciativas intelectuais mostra como a fé cristã é mais que um passatempo teológico. Antes, trata-se de uma questão de vida ou morte sobre quem nós somos e quem Deus é. Por essa razão, não podemos continuar as atividades filosóficas, científicas e teóricas sem a clara compreensão da dimensão sobrenatural que determina quem nós somos.

6

O compromisso de uma apologética vinculada à formação espiritual

Alguns episódios na história da teologia cristã são referência para a formação pessoal. Um desses exemplos é uma conversa entre Karl Barth e Francis Schaeffer. Tudo aconteceu durante e depois de um congresso organizado pelo Concílio Internacional de Igrejas Cristãs, que teve Schaeffer como um dos organizadores. O evento ocorreu em agosto de 1950, na Suíça, onde Barth morava. Schaeffer e J. Oliver Buswell aproveitaram a ocasião para visitar pessoalmente Barth, que os recebeu muito bem.

Schaeffer acreditava ser capaz de entabular um diálogo prolongado com Barth, tanto que, após aquela conversa, enviou-lhe um texto de sua autoria, intitulado *Um exame do Novo Modernismo* (1951), em que tecia considerações que tocavam pontos centrais da teologia de Barth. A reação deste a essa sequência de acontecimentos e críticas foi radical e digna de ser lida com atenção:

> Estimado Sr. Schaeffer!
>
> Reconheço ter recebido sua carta de 28 de agosto e seu artigo "O Novo Modernismo". No mesmo dia, o seu amigo J. Oliver Buswell escreveu-me de Nova York anexando uma resenha "A Teologia de Karl Barth". Vejo que o que vocês pensam de mim é mais ou menos o que encontrei no livro de [Cornelius] Van Til sobre esse mesmo assunto. E vejo que você e seus amigos

escolheram cultivar um tipo de teologia que consiste em uma espécie de criminologia; você está vivendo do repúdio e da discriminação de toda e qualquer criatura semelhante, cujas concepções não são inteiramente (ou numericamente) idênticas às suas perspectivas e declarações. Você está "caminhando sobre a rocha sólida da verdade" [como você mesmo diz de si]. Mas nós, pobres pecadores, não estamos. Eu não estou. Meu caso foi sinalizado como sem esperança alguma. O júri falou, o veredito foi proclamado e o acusado foi pendurado pelo pescoço, até que morreu nesta mesma manhã.

Bem, bem! Digamos à sua maneira: é assunto seu, e ao fazer, falar e escrever como o faz, você deveria arcar com as responsabilidades. Você pode repudiar minha vida e obra "como um todo". Pode me chamar de nomes como mentiroso, vago, anti-histórico, desinteressado com a verdade, entre outros. Pode continuar fazendo seu trabalho de "detetive" na América, na Holanda, na Finlândia e em todo lugar. Pode me desacreditar como o mais perigoso herege. Por que não? Talvez o Senhor lhe tenha dito que fizesse isso.

Porém, por que e para qual propósito você deseja uma conversa futura? O herege foi queimado e enterrado para o bem de todos. Por que você quer perder mais do seu tempo (e o dele) falando com ele? Estimado senhor, você disse que percebe que vocês estão mais perto dos antigos modernistas e dos católicos romanos do que de mim e de homens como eu. Do jeito que você gosta! Porém, por que você não prova a eficácia de sua "apologética" em alguns exercícios com estes "antigos modernistas" e com católicos romanos, que você encontrará aos montes aqui na Suíça e em todo lugar? Por que segue perturbando este homem em Basileia, a quem derrotaram tão esplêndida e totalmente?

Regozije-se, senhor Schaeffer (e chamem a vocês mesmos de os "fundamentalistas" de todo o mundo!). Regozije-se e siga crendo em sua "lógica" (como no quarto artigo de seu credo) e em vocês mesmos como os únicos verdadeiros "crentes bíblicos". Grite tanto quanto puder! Porém ore, e permita-me deixá-lo sozinho. As "conversas" são possíveis com pessoas de "mente aberta". Seu texto e as críticas de seu amigo Buswell revelam o fato de sua decisão de fechar as portas. Não sei como lidar com um homem que vem me ver e falar comigo na qualidade de detetive/ inspetor ou com o comportamento de um missionário que vai converter um pagão. Não, obrigado!

Seu, sinceramente, [...]

Karl Barth [1]

Karl Barth recriminou duramente a forma como Schaeffer fazia teologia, muito semelhante ao trabalho de um detetive: envolvia-se com certas pessoas e teologias como quem investiga a cena de um crime. Em vez de um diálogo sincero para entender o que estava sendo dito, Schaeffer concentrava-se nos delitos que ele julgava terem sido cometidos contra a ortodoxia cristã. Barth considerava que essa postura inviabilizava totalmente qualquer possibilidade de conversas futuras. Mesmo que Schaeffer tivesse a intenção de manter o diálogo com Barth, a relação estava com os dias contados pelo fato de ter iniciado o contato daquela maneira. Barth não queria levar adiante o tribunal onde sua teologia, e ele próprio, estavam sendo investigados. As portas tinham sido fechadas para sempre, pois não queria lidar com relacionamentos feitos à semelhança de inquéritos.

A brevidade dessa correspondência não é proporcional ao impacto que ela teve na vida e no ministério de Francis Schaeffer. Mais que isso, ela ainda é muito importante para nosso próprio interesse em investigar as melhores condições de conduzir a inteligência para a glória de Deus. Não são poucos os cristãos que, ao perceber o imperativo bíblico de defender a fé e de estar pronto para dar a razão da nossa esperança (1Pe 3.15), acabam incorrendo no mesmo erro de que Barth acusa Schaeffer. Não é sem motivo que tantas publicações na área de apologética mantêm um clima bastante belicoso ao redor dessa prática teológica. Não só os títulos dessas publicações na maioria das vezes remetem a combates e conflitos, mas até mesmo o *design* das capas fazem referência à violência em vez da compaixão e do diálogo maduro em torno da fé.

Diante de tudo isso, eu me pergunto: por que, quando pensamos em apologética e evangelização em ambientes hostis à fé, o que nos vem à mente é um confronto, em vez de um desafio de amor? Por que somos ensinados a desenvolver apenas os melhores argumentos, em vez de também nos esforçarmos pelos melhores amigos?

Ainda que minha intenção neste capítulo não seja dar total razão a Barth e acabar desacreditando, como um todo, os esforços de Schaeffer, com certeza entender o que estava por trás dessa correspondência e o que ela desencadeou na vida deste é muito importante. Se compreendermos por que esse diálogo nunca foi adiante, talvez possamos conduzir melhor as conversas e o uso da inteligência para a glória de Deus.

O perigo de uma inteligência fanática

O episódio da correspondência com Karl Barth faz parte de um período conturbado da vida de Schaeffer. Após ter completado seu treinamento pastoral, parte no Seminário Teológico de Westminster, parte no Seminário Teológico da Fé, Schaeffer passou a integrar um grupo de pastores e líderes muito fundamentalistas — que, inclusive, haviam rompido com a Igreja

Presbiteriana dos Estados Unidos da América (PCUSA) por razões doutrinárias. Entre esse grupo de pastores, que posteriormente se intitulou Igreja Presbiteriana Ortodoxa (OPC), havia figuras importantes, como John Gresham Machen, Gordon H. Clark, John P. Galbraith e até Cornelius Van Til, grande apologeta e professor de Schaeffer em Westminster.

Todo esse pano de fundo é importante para entender como os primeiros anos de ministério de Schaeffer foram marcados por um contexto bastante fundamentalista, em que o zelo pela sã doutrina dividiu denominações históricas nos Estados Unidos. Um grande amigo e biógrafo da família Schaeffer, William Edgar, conta que foi nesse período que Schaeffer foi ficando cada vez mais preocupado com o que entendia ser falta de santidade entre os que estavam no seminário. Esse grupo fundamentalista acusava de "grosseiros e feios" os relacionamentos daquela instituição. A história nos conta, ainda, que, mesmo depois da formação da nova denominação e do seminário de Westminster, um grupo ainda mais belicoso saiu das duas instituições em razão de posicionamentos contrários a questões periféricas e controversas, como, por exemplo, o uso de bebida alcoólica. Enfim, para Schaeffer, o movimento fundamentalista que dali surgiu tinha se tornado hipercalvinista, indo além do que as Escrituras ensinam sobre temas que julgavam cruciais.[2]

Mesmo com a nova denominação formada, os conflitos não terminaram. O movimento era tão separatista que, em poucos anos, uma nova denominação foi formada, a Igreja Presbiteriana da Bíblia, cujo primeiro ministro ordenado foi o próprio Francis Schaeffer. Durante dez anos (1938-48), ele pastoreou algumas igrejas nos Estados Unidos e, em 1948, mudou-se com a esposa, Edith, e seus três filhos para Lausanne, na Suíça. Ali,

Schaeffer permaneceu como missionário por mais cinco anos, período em que os acontecimentos envolvendo Karl Barth ocorreram. Aquela "teologia como criminologia", que Barth acusava Schaeffer de praticar, estava na ordem do dia de seus colegas de ministério, e a influência dessa postura talvez não tenha sido percebida naquela época por Schaeffer.

Não demorou muito, entretanto, para que Schaeffer percebesse quão nocivo estava sendo esse ambiente para a própria fé. Um dos ex-alunos e amigo pessoal do casal, Edgar relatou o problema fundamental que estava em questão — e que é o tema de interesse desse capítulo: "gradualmente os Schaeffers vinham se conscientizando de que a abordagem deles sobre várias pessoas, em particular daqueles de quem discordavam, havia sido bem menos que amorosa". Com isso, Francis e Edith começaram a se preocupar com sua fé, que ela não estivesse fundamentada na realidade plena do poder de Deus. "Fran tornou-se cada vez mais preocupado que 'O Movimento' estivesse salientando a vigilância da porta da entrada doutrinária às custas do amor."[3] A luta contra a heresia não poderia se tornar a luta contra as pessoas.

Entretanto, o relato mais vívido desse período de crise de fé vem do próprio Francis. Em seu livro *Verdadeira espiritualidade*, ele narra a profunda crise em que mergulhou justamente nos anos da década de 1950, responsáveis pela sua saída do movimento fundamentalista e pela criação do L'Abri, "o Abrigo". Tratava-se de um refúgio pastoral para quem tivesse dúvidas honestas sobre a existência e onde poderia receber respostas igualmente honestas. Hoje, há extensões do L'Abri em vários lugares do mundo, inclusive no Brasil.

Em 1951 e 1952, Schaeffer enfrentou uma crise espiritual, ao constatar que vivia o que chamou de *o problema da realidade*: ele percebeu que faltava, para muitos daqueles que sustentavam a posição ortodoxa, a realidade das coisas que a Bíblia claramente afirmava ser o resultado do cristianismo. Além disso, Schaeffer se deu conta de que, gradualmente, crescia nele a percepção de que sua realidade era menor do que nos primeiros tempos antes de se tornar cristão. "Reconheci sinceramente que eu precisava voltar e repensar toda minha posição."[4]

É impressionante como algumas críticas de Barth não demoraram a aparecer na vida de Schaeffer na forma de crise espiritual. Todos os anos de trabalho em uma denominação que se sentia responsável por representar a posição conservadora clássica não foram suficientes para solucionar o *problema da realidade*. Edgar escreveu posteriormente que um dos fatores que desencadeou essa crise espiritual foi a carta de Barth. Ao que parece, para seus colegas de ministério, a realidade criada por Deus parecia magra demais, sem o brilho e o encanto que a fé cristã proclamava como necessários à experiência cotidiana. Existia, portanto, um problema grave em como Schaeffer e seus amigos do movimento fundamentalista encaravam a experiência cotidiana, o que o levou a uma crise espiritual que só seria resolvida depois de muito esforço e luta em Deus.

Havia surgido, assim, uma pergunta sem resposta, motivo de orações constantes: "Senhor, onde se encontra a realidade espiritual da maior parte do que se autointitula ortodoxia?".[5] A luta para responder essa pergunta não só foi decisiva para a vida e o ministério de Schaeffer, como ainda hoje tem implicações importantes para nós. Quem procura desenvolver e conduzir a inteligência de modo a glorificar Deus precisa se ocupar com o núcleo espiritual que a grande tradição cristã legou à vida cotidiana.

Nós, que defendemos a importância intelectual da fé cristã, devemos pensar como Schaeffer passou a pensar, conforme escreveu a um amigo: "temos de nos envolver no combate. Mas, quando estamos lutando para o Senhor, isso precisa ser feito de acordo com suas regras, não é?".[6] Tratava-se de continuar os esforços de apologética, de defender a pureza da Igreja e a coerência da fé cristã, mas do jeito do Senhor.

A mudança da apologética do conflito para a preocupação genuína e profunda com a formação espiritual de cada discípulo de Cristo implica mudar o tipo de relacionamento que temos com as pessoas. Conforme bem resumiu Allen Ribeiro Porto, "o detalhe que precisa ser destacado é que Schaeffer nunca mudou de opinião sobre a teologia de Barth, embora tenha mudado a sua atitude diante das pessoas de quem discordava".[7]

Junto à compreensão de que a ortodoxia da doutrina é importante, Schaeffer foi gradualmente percebendo que também havia uma ortodoxia nos relacionamentos, isto é, em como o Senhor gostaria que lidássemos com as pessoas, mesmo quando discordamos delas a respeito de nossa fé. Essa ampliação no entendimento do trabalho intelectual foi responsável, por exemplo, pela decisão de Schaeffer de sair do movimento fundamentalista e criar o L'Abri.

Esse é o ponto central. Muitas defesas intelectuais da importância da fé cristã são feitas sem nenhum cuidado com as pessoas. Vários intelectuais esquecem que nossa luta não é contra carne e sangue (Ef 6.12) e acabam transformando sua racionalidade em um instrumento para a disputa do melhor argumento. Isso é claramente uma forma de se vangloriar, em vez de glorificar o Senhor com a inteligência que ele nos concedeu.

O que torna isso cada vez mais comum é justamente a perda do brilho da realidade espiritual no cotidiano daqueles que estão defendendo a fé. Não conseguem mais enxergar que todos os esforços intelectuais, bem como aquilo que produzimos e as relações que cultivamos são alimentados por uma dimensão interior profunda que é espiritual. Quando se perde essa convicção, a coerência intelectual da fé cristã se reduz aos argumentos apologéticos e às doutrinas teológicas corretas. Nada mais distante de uma vida intelectual como vocação e serviço cristão.

Estou plenamente convicto de que o primeiro movimento é sempre de Deus, ao se revelar na sua Palavra. Só quando a fé controla o pensamento temos condições de trilhar uma vida intelectual que glorifique esse Deus que se revela. Entretanto, esse é só o primeiro passo. Precisamos avançar no entendimento de como todos esses processos de regeneração do coração fluem "de dentro para fora" — isto é, como realidades espirituais internas transformam, controlam e modificam totalmente o mundo exterior. Essa foi uma das descobertas de Schaeffer. Ele se deu conta de que, se não há como começar a vida cristã exceto pelo novo nascimento, ele é apenas o princípio, porque depois que nascemos espiritualmente importa viver a vida plenamente quanto a relacionamentos, possibilidades e capacidades. "O importante, depois de ser nascido espiritualmente, é viver. [...] Essa é a área da santificação, desde o tempo do novo nascimento, por toda a vida presente, até Jesus voltar ou até nossa morte."[8] Sigo muito de perto essa percepção de Schaeffer. Uma vez iniciada a vida cristã, vêm todos os desafios, as questões e as práticas cotidianas que demandam posicionamentos cristãos. Schaeffer era muito crítico quanto ao movimento fundamentalista justamente por ter como preocupação exclusiva a mensagem de novo nascimento e uma abordagem pífia da santidade para cada momento da vida.

A mesma leitura que Schaeffer faz da preferência doutrinária da justificação à revelia da santificação aplica-se a todas as áreas da vida intelectual. Dizer que a fé precisa controlar o pensamento é religiosa, teológica e filosoficamente importantíssimo. Mas logo em seguida as pessoas querem parâmetros verdadeiramente cristãos para o casamento, o emprego, a educação, a arte e todas as questões próprias da experiência humana ordinária. O cristão que reduz seu trabalho intelectual à elaboração de textos e argumentos para lidar com experiências da vida cotidiana apenas no nível das teorias não entendeu o que Deus espera dele.

Erudição cristã a serviço das pessoas

A formação espiritual ocupa um lugar fundamental no processo de conduzir a inteligência para a glória de Deus. Precisamos urgentemente nos comprometer com uma apologética que não lide apenas com questões, mas com pessoas, que entre outras coisas estão experimentando o problema do mal, da dúvida, do ceticismo, da atração pelo mesmo sexo. Esse comprometimento não deve se dar unicamente no nível teórico, mas na experiência ordinária. Não que a atividade teórica seja menos importante, mas ela é posterior à experiência humana ordinária.

Isso também foi algo que Schaeffer descobriu no período de sua crise, e que o ajudou muitíssimo a desenvolver seu ministério apologético no L'Abri. Ao escrever uma carta em resposta às críticas que havia recebido por sua nova fase menos fundamentalista, ele explica o seguinte:

> Eu acredito mais convictamente que nossos esforços no serviço cristão recaem em três círculos concêntricos: o mais exterior é o apologético e defensivo (embora seja uma porção importante da atividade cristã e não deve ser minimizada, não é seu coração...). O círculo do meio, está dentro do mais exterior e é mais

> central. Trata-se das declarações intelectuais das doutrinas da fé cristã em um sentido positivo (embora essa seja, para mim, uma porção ainda mais importante da atividade cristã, se ela estiver sozinha, ainda não é cristianismo). O mais interior dos círculos é o espiritual — o relacionamento pessoal e individual da alma com a pessoa de Deus, incluindo tudo o que significava a bênção apostólica: "a comunhão do Espírito Santo seja com todos vocês". É nesse último círculo e o mais interno que os atos devocionais acontecem e sem o qual o cristianismo não é realmente bíblico. Para mim, não existe alternativa, mas apenas pedir a graça de Deus para manter esses três círculos em sua posição própria em minha própria vida.[9]

Com essas palavras, fica explícita a direção "de dentro para fora" do processo intelectual cristão. Sem descartar o valor das formulações intelectuais e da prática de defesa da fé, Schaeffer mostra que esses dois âmbitos da vida intelectual não são nada se não forem alimentados por um núcleo ainda mais íntimo de realidade espiritual. Aprendemos com o profeta Isaías que era absolutamente possível se aproximar de Deus com os lábios cheios de cânticos e declarações espirituais, mas com o coração longe do Senhor (Is 29.13). A vitalidade de qualquer espiritualidade precisará passar pelo teste da interioridade e não apenas da exterioridade, como aquilo que fazemos, dizemos ou pensamos. Os aspectos externos da vida pessoal — aqueles outros dois círculos de Schaeffer — sempre resultam de batalhas contra o pecado travadas no coração. É no coração do ser humano que nascem as cobiças, os maus pensamentos e tudo aquilo que queremos esconder das pessoas (Mt 15.19). Justamente por isso ele é o ponto de partida. Se essa realidade espiritual interior estiver comprometida, não conseguiremos beleza e verdade na experiência cotidiana.

Essa foi a crise de Schaeffer, e ainda é a luta de muitos de nós com a realidade espiritual do que se autointitula ortodoxia. Veja os três círculos de Schaeffer:

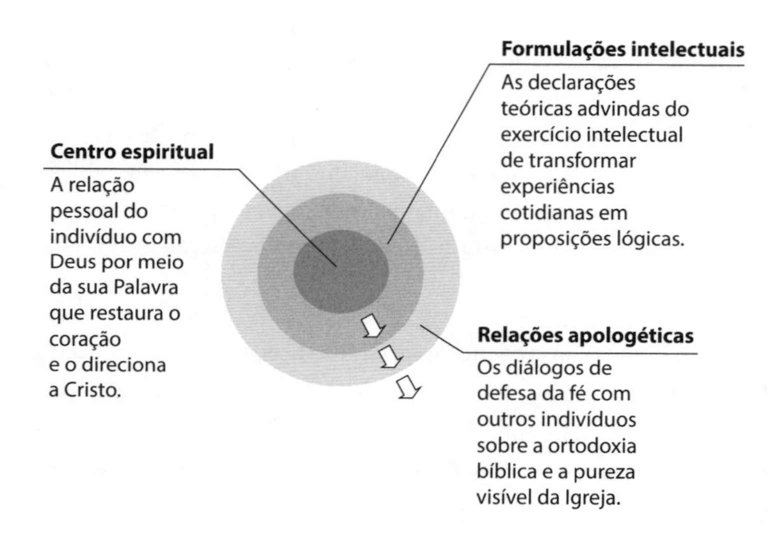

Se procurarmos enxergar a experiência de vida através da lente dos três círculos de Schaeffer, entenderemos por que ele chamou sua crise espiritual de *o problema da realidade*. O contexto fundamentalista em que Schaeffer estivera cultivando sua fé era de uma espiritualidade "negativa".

Muito próximo do que acontece ainda em igrejas brasileiras contemporâneas, assim que a pessoa se certifica de que nasceu de novo e que, pela fé, pode ter uma nova vida em Cristo, vem o questionamento: "Eu creio, mas... e agora? O que farei em seguida?". O mais comum nessas horas é organizar uma lista de experiências que devem ser evitadas e negadas. Com isso, transmite-se a ideia de que, se nos abstivermos do sexo fora do casamento, do álcool em excesso, dos palavrões e das práticas culturais muito diferentes das vividas na igreja, então seremos pessoas espirituais e experimentaremos a verdadeira vida nova em Cristo. Talvez não exista nada mais distante da proposta de Jesus aos seus discípulos do que essas listas de proibições.

Mesmo sendo inapropriado, encarar negativamente a vida espiritual é muito comum. Muitos projetos intelectuais de cristãos são elaborados em forma de listas, cujos itens precisam ser checados antes de concluir se Deus foi glorificado ou não. É convencional chamar esses exercícios racionais de "de baixo para cima", pois tentam chegar à realidade divina por meio de evidências, argumentos e provas vindos da experiência humana.

A fraqueza de projetos intelectuais dessa natureza está no vínculo muito próximo com a nossa capacidade de chegar a Deus. O que nos chama atenção em toda a trajetória e metodologia schaefferiana de apologética combinada com formação espiritual é que ela consiste exatamente no contrário, ou seja, é um exercício intelectual "de cima para baixo". Em vez de construir seu caminho até Deus por meio da realidade humana, ele parte da certeza última de que o Espírito Santo derrama no coração de encontro à realidade humana. Ou seja, trata-se de uma forma altamente criativa de mostrar que não precisamos ficar "provando a existência de Deus" com evidências apologéticas, mas, ao contrário, que toda a realidade ao redor tem um grau altíssimo de ressonância intelectual com o motivo base bíblico criação-queda-redenção.

Alister McGrath explorou essa convicção. Ao escrever sobre a reviravolta que ele também passou em sua trajetória intelectual — "afastando-me da ideia de que alguém poderia 'provar' a existência de Deus por meio do mundo natural" —, ele expôs a interessante ideia de que a fé cristã oferece um "encaixe empírico" com o mundo real. Esse "encaixe empírico" demonstra como a fé cristã provê a melhor maneira de encontrar significado na experiência cotidiana. Assim, objetivando mostrar que apenas a fé cristã oferece uma maneira coerente de enxergar todas as coisas, em vez de lançar mão de evidências cotidianas para justificar que nossa crença em Deus é razoável, contrapomos a própria experiência cotidiana a todas as explicações e filosofias de vida disponíveis.

Essa foi a grande virada da abordagem de Schaeffer. Sua esposa, Edith, conta que as respostas que ele buscava não foram encontradas em pesquisas acadêmicas, mas a partir de diálogos vivos. Ele respondia a questões verdadeiras com respostas cuidadosamente elaboradas e que se revelaram, de fato, as respostas verdadeiras. A ressonância com a realidade passou a ser um critério importante de verificação da legitimidade das respostas que foram produzidas no L'Abri.

C. S. Lewis argumentou algo muito semelhante ao concluir seu texto sobre a teologia cristã com a famosa frase: "Acredito no Cristianismo como acredito que o sol nasceu, não apenas porque eu o vejo, mas porque por meio dele eu vejo todo o resto".[10] Aqui fica explícita a analogia da visão de mundo cristã com nossa experiência com o Sol. Quando percebemos a incoerência de tentar olhar diretamente para o astro, sob o risco de ficar cegos, olhar para tudo o que o Sol nos faz enxergar se torna muito mais sensato. Mais que isso, quando passamos a encarar cada uma das vivências a partir do motivo básico bíblico, podemos concluir que não existe nenhuma alternativa com poder explanatório tão grande quanto à fé cristã.

Todos os projetos intelectuais que não nasceram da renovação espiritual do coração de seus intérpretes estão fadados ao fracasso. Seus idealizadores procuram, inutilmente, a partir da temporalidade humana e de suas ferramentas, atingir aquilo que lhes permite enxergar todas as coisas. Mas o Deus e Pai de nosso Senhor Jesus, revelado nas Escrituras, não é um elemento dentre outros na temporalidade da existência; antes, é o ponto arquimediano que alavanca todas as possibilidades da realidade para a experiência humana — inclusive as intelectuais.

7
O compromisso de evangelizar os que perderam o mundo

Francis Schaeffer percebeu que as formulações intelectuais corretas que estavam sendo fervorosamente defendidas nas empreitadas apologéticas do movimento fundamentalista não eram alimentadas por uma realidade espiritual encorpada e rica em relacionamento com Deus. Essa percepção o levou a um "colapso". Sua constante reclamação naquele período era que, com raríssimas exceções, tal movimento não havia produzido nenhuma literatura devocional, tampouco algum estudo sério sobre a estrutura devocional da mente. Schaeffer fez um *mea culpa* sobre essa questão: "Eu me incluo nisso, e de maneira contundente. Fico com vergonha ao pensar retrospectivamente sobre minha pregação, minha escrita e meu pensamento ao longo desses anos".[1]

Essa questão era central para Schaeffer. Por não ter uma vida espiritual vigorosa, tanto a sua prática intelectual quanto a sua experiência ordinária em defender a fé eram pobres demais naquele período. Uma vida espiritual medíocre não gera uma experiência cotidiana robusta. É impossível enxergar a beleza de todas as dinâmicas da realidade criada sem ter em alta estima o relacionamento com seu Criador. É por isso que o problema do movimento fundamentalista não estava em alcançar os perdidos no mundo, mas na incapacidade de lidar com quem perdeu o mundo — porque eles também haviam perdido a profundidade espiritual da realidade.

Vários intelectuais cristãos simplesmente perderam a capacidade de dialogar com as pessoas e com seus dilemas cotidianos porque "perderam o mundo". Sua visão da realidade é magra demais e suas teorias não têm "encaixe empírico", isto é, não passam pelo teste da experiência cotidiana. Querem atirar flechas contra o Sol, sem se dar conta de que é ele que ilumina e provê as condições necessárias para a vida cotidiana, inclusive para a atividade de arqueiro.

O problema de várias teologias, filosofias e todo tipo de disciplinas científicas é que elas não são alimentadas por um centro espiritual vigoroso, consequentemente a realidade espiritual da Palavra de Deus no coração das pessoas envolvidas é desnutrida. Em vez de uma apresentação uniforme e equilibrada de cada esfera da vida humana, o trabalho intelectual de vários cristãos é desproporcional à vida devocional. O resultado incontornável é que nossa maneira de demonstrar a vida cristã para as pessoas estará prejudicada ou totalmente comprometida.

Embora só Deus, com sua Palavra, seja capaz de acessar o coração de alguém e descobrir seus compromissos fundamentais (Hb 4.12), suas expressões externas são absolutamente visíveis e passíveis de avaliação no que respeita ao nível de comprometimento com a realidade espiritual da obra de Cristo. Não precisamos abrir o coração de um intelectual historicista ou de um cientista naturalista para saber que o compromisso da sua cosmovisão não é com a Palavra de Deus. Os resultados intelectuais demonstram que a confiança está no processo histórico ou na aleatoriedade dos fenômenos naturais, e não na soberania de Cristo, sobrepujada pela história e pela natureza. Em vez de ter um coração alimentado pelas lentes da história da redenção, eles passaram a enxergar o mundo por meio do dualismo que divide a realidade em dois andares: o dos fenômenos naturais determinados e sem propósito e o da liberdade humana, em que o significado da vida pode ser construído sem determinações prévias.

Recortar um aspecto da experiência humana (como a racionalidade, a sensibilidade e as relações sociais e econômicas) e acreditar que ele, isoladamente, consegue explicar toda a diversidade de experiências vividas no cotidiano é um reducionismo absurdo. As pessoas passam a ter uma visão minguada da realidade quando se propõem entendê-la de forma meramente racionalista, sentimentalista ou a partir de qualquer "ismo". Trata-se de um reducionismo intelectual que denuncia algo mais profundo no coração do indivíduo: a perda da *realidade como um todo*, pela preferência de *um aspecto em particular*. A nossa oração diária precisa ser: "ajuda-me a temer só o Senhor". Ter um coração que não divide atenção entre o Senhor e os ídolos intelectuais de nossa era é uma batalha espiritual a ser travada momento após momento da vida, com uma fé exclusiva na obra de Jesus.

Quando Schaeffer percebeu a dinâmica de dependência espiritual de nossas formulações e demonstrações intelectuais, todas as suas teorias passaram a ser submetidas a um teste: o critério da realidade. "Não há nada mais feio no mundo todo, nada mais desanimador para as pessoas que a ortodoxia morta."[2] Décadas depois de sua crise espiritual e da criação do L'Abri, Schaeffer olhou para seus esforços do passado e, em vez de se avaliar como um erudito campeão de debates, concluiu: "Não sou apologeta, se isso significar construir uma casa segura para morar [...]. Os cristãos devem sair para o mundo tanto como testemunhas quanto como sal, deixando de ficar sentados numa fortaleza cercada por um fosso".[3] A imagem da torre de marfim, portanto, não descreve o trabalho de Schaeffer.

Ele acreditava que um evangelista pode tratar de questões filosóficas, intelectuais ou culturais com o devido cuidado. A reivindicação do currículo filosófico e cultural para o trabalho evangelístico causa estranheza devido à incompreensão da situação em que se encontram os evangelizados. O pensamento mais corriqueiro a respeito de uma "pessoa perdida" é que se trata de alguém que precisa ouvir o evangelho das Escrituras, porque é pecadora e carece de salvação. No entanto, Schaeffer faz uma afirmação simples que desmonta essa maneira simplória de enxergar o trabalho de um evangelista: "Precisamos perceber que essas pessoas não sabem que estão evangelisticamente perdidas. Como poderiam?".[4]

É realmente muito sintomático o fato de que, mesmo que as pessoas de nossa época já tenham ouvido falar dos termos "pecado", "santidade", "Cristo", "salvação" e "cruz", elas não tenham condições de saber o que tais termos significam. Isso ocorre porque o tipo de perdição em que se encontram é o da falta absoluta de sentido da realidade. Por essa razão, temos insistido que, muito antes e mais profundamente, de estar perdida no mundo, nossa geração perdeu o mundo. Esse é o "segundo tipo de perdição" que Schaeffer menciona, e que o trabalho do L'Abri se esforçou em alcançar:

> Quando as pessoas recusam a resposta de Deus, elas estão vivendo em oposição à revelação do universo e contra a revelação que trazem em si mesmas. Estão negando a revelação de Deus sobre quem elas mesmas são [...]. Não estou dizendo que elas não

> têm senso moral, mas que não têm fundamentos para isso [...]. Esta é a sua maldição, esta é a sua tensão, ter de viver à luz da sua existência, à luz da realidade — a realidade total em todas as áreas —, viver ali, por mais que não tenham explicações suficientes para nenhuma dessas áreas. Assim, quanto mais sábios são, quanto mais honestos são, mais se sentem tensionados, e esta é a sua maldição presente. Não há lugar algum para onde as pessoas possam ir, onde possam escapar das coisas relativas à graça que Deus lhes deu para amarrá-las à realidade que existe [...]. Toda nossa geração tem uma segunda sensação de estar perdida, que é válida: ela perdeu o sentido do mundo, ela perdeu qualquer propósito, ela perdeu a moral, ela perdeu toda a base para a lei, ela perdeu os princípios finais e respostas para qualquer coisa. Estas pessoas sabem que estão perdidas neste sentido [...]. Essa perdição é respondida pela existência do Criador. Assim, o cristianismo não começa com a ordem "aceite a Cristo como o seu salvador". O cristianismo começa por "No princípio criou Deus os céus (a totalidade do cosmos) e a terra". Essa é a resposta ao século 20 e à sua perdição.[5]

Em vez de reduzir a perdição das pessoas a uma questão religiosa, Schaeffer destaca como Deus amarrou todos os aspectos da realidade no ser humano — e, justamente por isso, a verdadeira espiritualidade não seria apenas uma questão de aspecto religioso, mas o núcleo alimentador de toda a experiência humana no cotidiano. O esforço principal do trabalho evangelístico de Schaeffer não era apenas ensinar as respostas cristãs históricas, mas responder honestamente (com respostas cristãs históricas) as perguntas que nasceram da luta entre as pessoas e a realidade. Esse é um detalhe que conecta tudo o que temos argumentado até aqui. Comunicar de maneira inteligível a cada nova geração as respostas cristãs às perguntas que nascem do confronto com a realidade significa auxiliar as pessoas a reencontrar o mundo como o teatro da glória de Deus.

A vida assume o brilho e a beleza que lhe são próprios quando passamos a encará-la à luz da obra concluída de Cristo. Era este pequeno detalhe teológico que Schaeffer ensinava às pessoas: existem aspectos da obra de Cristo que já estão consumados e, por isso, modificam, agora, no presente, a forma como vivemos. Em vez de uma espiritualidade meramente negativa, a evangelização de Schaeffer era um convite aos aspectos positivos da espiritualidade cristã, disponíveis agora para os indivíduos.

Diferentemente das listas moralista de "não fazer" que são apresentadas em muitas igrejas, a verdadeira espiritualidade cristã é uma vocação a substituir hábitos viciosos por pensamentos, posturas e hábitos virtuosos. Ou seja, não se trata apenas de "deixar de fazer algo", mas de "deixar de fazer aquilo, e passar a fazer isto". Lembremo-nos de que Paulo diz que devemos nos despir "do velho homem e nos [revestir] do novo" (Ef 4.22-24; cf. Cl 3.9-10). Uma apologética comprometida com a formação espiritual cristã não pode dizer "não" às rebeliões contra Deus enquanto nos deixa de mão vazias de posturas igualmente reais e diárias que agradam a Deus e dignificam a existência humana.

Essa modificação nos fornece uma espiritualidade muito mais cotidiana, mundana e presente. Segundo Schaeffer, "Cristo chamou seus seguidores para tomarem sua cruz *diariamente*. É verdade que aceitamos Cristo como Salvador uma vez por todas; somos justificados e nossa culpa se foi para sempre. Mas depois disso há esse aspecto diário, de momento em momento".[6] Só quando compreendemos a real extensão do pecado em todas as realidades da experiência humana que temos condições de igualmente compreender a riqueza da redenção e da nova vida em Jesus. Da mesma forma que a condição de rebelião pecaminosa a Deus é marcada por "ideias tolas [...] coisas desprezíveis e degradantes [e] um inútil modo de pensar" (Rm 1.21-28), a nova vida cristã precisa ser constituída de pensamentos, vontades e afetos espiritualmente virtuosos.

Portanto, faz sentido afirmar que, assim como o pecado nos assedia, momento após momento, na vida cotidiana, também a verdadeira espiritualidade precisa ser uma experiência de confiança em Cristo para viver, momento após momento, em obediência ao Senhor. Como resumiu Dallas Willard, espiritualidade é a qualidade holística da vida humana como deve ser, no centro da qual está nosso relacionamento com Deus. "Tal visão da espiritualidade que afirma a vida, como faz Schaeffer, não pode ser mantida entre pessoas esclarecidas, a menos que entendam que o espiritual é um aspecto homogêneo, parte e parcela da natureza biológica (e, portanto, social) dos seres humanos".[7]

Com essa maneira cotidiana e atual de enxergar a verdadeira espiritualidade cristã, Schaeffer aponta para aquilo que ele julgava ser o problema central da ortodoxia evangélica: a prática da verdade. Em tempos de grande relativização da verdade, quando as pessoas não manifestam preocupação em preservar qualquer tradição que ponha em risco o seu direito de ser livre e podem conduzir a vida da maneira que melhor lhe parecer, Schaeffer estava convicto de que: "quando se tem um forte conteúdo doutrinário, deve-se praticar o conteúdo, praticar a verdade na qual dizemos crer. Devemos mostrar a nossos filhos e ao mundo que nos vigia que levamos a sério a verdade".[8]

Não podemos ser ingênuos e pensar que as pessoas que observam a vida cristã como um espetáculo público serão provocadas apenas pelo que vamos dizer. Elas querem saber se estamos *demonstrando* tudo em que acreditamos. Sendo assim, não é suficiente que nos diferenciemos do mundo apenas pelo falar sobre a santidade e o amor, temos de praticar a santidade e o amor ao mesmo tempo que proclamamos a verdade.

Essa espécie de *metodologia demonstrativa* tem condições de tornar a defesa da fé muito mais vívida e bela. Em vez de uma série de discursos violentos contra quem não concorda com as doutrinas clássicas da fé cristã, sua defesa assume realmente uma dimensão formativa integral em nossa existência. Se buscarmos não apenas falar, mas *demonstrar* o amor, a santidade e a verdade de Deus, explicitaremos a realidade espiritual da vida cristã em todas as áreas da vida.

Outro obreiro do L'Abri que percebeu esse mesmo princípio foi Hans Rookmaaker. Para ele, estava claro que a arte apresenta uma interpretação da realidade e, justamente por isso, "as pinturas oferecem uma filosofia do mundo e da vida. São mais do que objetos de decoração ou simplesmente coisas agradáveis para os olhos. Elas têm uma mensagem, e, o que é essencial observar, uma mensagem que se percebe por meios artísticos".[9]

A aplicação do princípio demonstrativo nas artes pode ser observada quando percebemos que foi a verdadeira espiritualidade cristã que desencadeou uma série de produções estéticas sobre a beleza da vida cotidiana. A hegemonia da arte sacra ou das representações políticas oficiais foi surpreendida em momentos específicos da história por artistas cristãos (ou influenciados pela visão de mundo bíblica), que passaram a cantar e pintar a beleza das coisas simples. Como exemplo, Rookmaaker compara as obras do pintor holandês Jan van Goyen com as do artista francês Nicolas Poussin:

> Não há dúvida de que as duas atitudes para com a realidade, tanto para com o mundo físico como para com o espiritual, foram consequências da profunda influência de ambas as religiões em suas culturas e padrões de pensamento. [...] [Van Goyen] estava pintando a partir de uma cultura que havia sido reorientada de acordo com a Bíblia. [...] Os paisagistas da tradição clássica, de inspiração humanista, representavam um mundo completamente diferente: um mundo mais sublime e ideal, um cenário próprio para grandes feitos humanos, atos heróicos e pensamentos profundos, um mundo que ultrapassa o pequeno mundo do cotidiano. [...] Porém, não se trata de uma visão cristã. A diferença entre essa pintura e a de van Goyen é impressionante: van Goyen entoa seu cântico em louvor à beleza do mundo aqui e agora, o mundo que Deus criou, a plenitude da realidade na qual vivemos, se tão somente abrirmos os olhos. Poussin sonha com um paraíso terreno, com grandes homens, uma humanidade elevada, mas, infelizmente frágil e que se destrói facilmente, como se fosse um sonho que nunca se realizará. Van Goyen sabe que o mundo não está livre de nuvens carregadas, que perdeu a beleza natural, mas basicamente ele ama o mundo em que vive.[10]

Esse fenômeno não ocorre apenas nas artes, mas em cada esfera da existência. Em direito, linguística, antropologia, sociologia ou economia, o que está em jogo é a crise que Schaeffer enfrentou: as pessoas perderam o mundo ou o receberam das mãos de Deus? Por tudo isso, é urgente recolocarmos a importância da defesa intelectual de nossa fé dentro de um quadro mais amplo de nossa formação espiritual, como discípulos de Cristo.

Em vez de reduzir parte do empreendimento intelectual a uma apologética combativa, precisamos sempre lembrar que a mente de Cristo em nós é alimentada por sua Palavra no coração. Tais convicções devolvem o caráter integral da obra de Cristo em nossa vida, bem como os desdobramentos dessa obra na inteligência que ele nos deu. Como bem descreveu Schaeffer, Deus fez o homem todo, portanto, o homem todo é redimido em Cristo. "E, após nos tornarmos cristãos, o senhorio de Cristo se estende sobre o homem todo. Isso inclui os assim chamados aspectos espirituais e intelectuais, criativos e culturais; incluindo-se a lei, a sociologia, a psicologia; inclui cada parte e porção do homem e do seu ser."[11]

A ortodoxia dos relacionamentos

Se, por um lado, a ortodoxia de nossas formulações teóricas precisa ser alimentada por um núcleo espiritual vigoroso, por outro, é necessário pensar que existe uma ortodoxia dos relacionamentos, igualmente alimentados pelo impacto da Palavra de Deus em nosso coração.

Se uma vida intelectual não governada por um núcleo espiritual focado na Palavra de Deus gera uma inteligência anêmica, nos relacionamentos interpessoais o resultado não seria diferente. Somente por meio de uma formação espiritual profunda temos condições de desenvolver relações apologéticas que não se transformam em lutas de poder de quem tem mais razão.

Basta nos lembrar da tentativa fracassada de Schaeffer de encontrar Barth. Ali, o tratamento humano estava sendo vil, em vez de ocorrer conforme a dignidade intrínseca que a imagem de Deus atribui a cada indivíduo. Para Schaeffer, o cristianismo exige que tenhamos compaixão suficiente para aprender as questões de nossa geração. "O problema com muitos de nós é o desejo da capacidade de responder a essas perguntas de imediato; seria como pegar um funil e colocá-lo na orelha, despejar os fatos, e, em seguida, sair, regurgitá-los e vencer todas as discussões. Isso é impossível."

Nesse contexto, Schaeffer defende que é impossível responder todas as perguntas, mas é preciso tentar, ouvindo com compaixão a fim de conhecer os questionamentos. "Tente responder às perguntas. E, se não souber a resposta, tente ir a algum lugar, ou leia e estude para encontrar resposta. [...] Talvez nem todos os membros de sua igreja ou do grupo de jovens sejam capazes de respondê-las, mas a igreja deveria treinar homens e mulheres que possam. Nossos seminários teológicos devem se comprometer com isso também. Isso faz parte da educação cristã."[12]

Quando nossa atividade intelectual deixa de ser estritamente individual, e exige uma explicação coerente para as pessoas, a vontade de ter uma capacidade perfeita de responder tudo é muito tentadora. Precisamente por isso, a beleza de nosso serviço intelectual depende da robustez da espiritualidade. Sem uma realidade espiritual vívida, nos tornamos presas fáceis dos jogos intelectuais de poder.

Ver com compaixão é uma das principais marcas do serviço que Jesus prestava aos indivíduos, não só com cura e alimentação, mas também com ensino. Ele ouvia de fato as pessoas e se importava com os que o questionavam (Mc 10.17). Mesmo sendo Deus e capaz de saber o que estava no íntimo do coração antes mesmo que qualquer palavra chegasse à boca de seus interlocutores (Mc 10.18), ele amava aqueles para quem ele respondia (Mc 10.21). Esse é um dos fatores que traz tanta beleza ao seu ministério.

Ao que parece, muito tem sido escrito sobre as melhores ferramentas para comunicar a verdade em cada geração, mas pouco sobre o amor necessário para fazê-lo. Dizer a verdade em amor é um mandamento bíblico que ninguém questiona (1Co 8.1-3; Ef 4.15; 1Jo 3.18), mas pouco se sabe sobre *como* amar interlocutores intelectuais. Como não cair no sentimentalismo bobo? Basta falar com tom de voz mais baixo? Devemos colocar um símbolo de coração depois de um longo texto nas redes sociais? A verdadeira espiritualidade não tem nada a dizer para além dessas superficialidades? Estou convicto de que a verdadeira formação espiritual do cristão lhe fornecerá a dimensão real de um diálogo sobre a fé, Deus e o destino do ser humano.

Para além de mero discurso bem educado, Herman Dooyeweerd nos lembra que, no verdadeiro diálogo, não se deve simplesmente esperar que duas opiniões sejam colocadas em pauta e que se dê a cada lado a oportunidade de apresentar uma série de argumentos em favor do seu ponto de vista. "Parece-me que, desse modo, pouco ou nada se alcança. Esse tipo de debate permanece superficial. Os argumentos de ambos os lados só aparentemente confluem, pois os pontos de partida mais profundos, os que determinam os argumentos, permanecem ocultos." Não devemos nos contentar com a superficialidade, mas procurar, a fundo, a renovação. "Apenas quando as pessoas não tiverem mais nada que esconder de si próprias e dos seus semelhantes na discussão é que o caminho para um diálogo que procure mais convidar do que repelir se abrirá [...]. Esse caminho é, de fato, acessível a todo leitor sério e não simplesmente a um seleto grupo de 'intelectuais'. Esse é *o caminho do autoexame* e não o caminho da pesquisa teórica abstrata."[13]

Schaeffer aprendeu essa lição a duras penas. A combinação de apologética ortodoxa com renovação espiritual aconteceu quando ele compreendeu que não existem pessoas sem importância. Ou, ainda, "não há gente pequena e gente grande no verdadeiro sentido espiritual, mas, sim, só gente consagrada e gente não consagrada. O problema para cada um de nós é aplicar essa verdade a nós mesmos: será que Francis Schaeffer é o Francis Schaeffer de Deus?".[14] Muito antes de ser um problema de ordem teórica e abstrata, trata-se de uma questão pessoal, tanto de autoexame de quem pergunta sobre a fé como de quem responde. Dar respostas honestas a perguntas reais dos ouvintes não é um trabalho de acrescentar ideias e argumentos teológicos, mas um auxílio para deixar a pessoa frente a Deus. A natureza do motivo bíblico central que opera no coração, dando-nos conhecimento verdadeiro de Deus e de nós mesmos, torna impossível a apologética sem formação espiritual.

Uma vez que o trabalho intelectual passa a ser encarado com a profundidade espiritual que lhe é própria, nossa abordagem com as pessoas se modifica. É muito interessante observar isso também na trajetória de Schaeffer. Em seu último retorno aos Estados Unidos, em 1953, antes de sair do movimento fundamentalista, Schaeffer pregou 346 vezes em 515 dias. Depois disso, ele retornou à Suíça, rompeu com a denominação, inaugurou o L'Abri e iniciou um trabalho com estudantes, em uma relação profundamente intencional. Cerca de quinze pessoas, de seis países diferentes, se reuniam a cada semana em uma sala nos fundos de um café próximo à universidade e oravam "para que o Espírito Santo fizesse muito mais do que podiam imaginar".[15]

De uma rotina predominantemente pública e endereçada às multidões, Edith e Francis Schaeffer passaram a concentrar as energias no serviço pessoal, invisível e de envolvimento bastante subjetivo. Estava claro para eles que a retidão doutrinária e a retidão na posição eclesiástica eram importantes, mas apenas como ponto de partida para um relacionamento vivo, e não como um fim em si mesmas. A prática dessa mudança de compreensão foi percebida na profundidade dos relacionamentos que passaram a ser cultivados, pois a ortodoxia dos relacionamentos se tornou tão fundamental quanto a ortodoxia doutrinária. Se intelectuais de calibre como Jean-Paul Sartre, Albert Camus, Georges Bataille e Pablo Picasso não desprezaram a potência dos encontros no *Café de Flore* para consolidar a direção rebelde do coração dos estudantes parisienses, Francis Schaeffer não poderia ignorar essa dimensão das relações.

Isso também precisa ser real para todos nós. A convicção de que as relações intencionais são indispensáveis precisa estar presente a cada nova iniciativa de buscar alcançar nossa geração, ou a área da vida em que temos interesses intelectuais. Não podemos recair na ilusão recorrente que vamos fazer algo para, então, alcançar alguém. Essa sequência é falsa, e tem mais a ver com o mundo dos negócios do que com a fé cristã. Sempre que um cristão projetar um ministério específico — lançar um canal no YouTube, escrever um livro ou qualquer outra coisa "para alcançar as pessoas" —, precisamos lembrá-lo do que realmente importa: vá primeiro às pessoas, insista primária e profundamente nos relacionamentos pessoais e, só então, deixe que os livros, os canais e os ministérios surjam das relações. Nunca o oposto!

Com esse realce nos relacionamentos, nem Schaeffer nem muito menos nós estamos diminuindo, ou colocando em posição secundária, a importância da verdade sobre Deus e sobre nós mesmos. Pelo contrário, trata-se da forma privilegiada de *demonstrar* ao mundo a realidade da nova vida em Cristo. Em vez de apenas falar a respeito dela, ou escrever sobre suas características, a ortodoxia dos relacionamentos nos fornece as condições de evidenciar as dinâmicas típicas do reinado de

Deus na história. Mesmo que de maneira imperfeita, a realidade da obra consumada de Cristo pode ser experimentada pelas pessoas, momento a momento, por meio da beleza dos relacionamentos. Não interessa onde, nem quem, muito menos por quanto tempo, mas, sim, que existe uma porção viva do governo de Deus para quem está em relação com os seus discípulos. E isso não pode ser subestimado em nome de grandes estruturas ou realizações impessoais.

Schaeffer acabara de romper com uma grande estrutura, e estava convicto de que a vitalidade espiritual poderia ser drenada por instituições pesadas demais. É claro que isso não levou Schaeffer a rejeitar por completo qualquer tipo de estrutura. Sua nova postura era mais sutil. Um ano antes de fundar o L'Abri, Schaeffer escreveu não acreditar que uma caminhada espiritual profunda se opusesse à organização, "no entanto, devo dizer que me parece que, às vezes, a organização se torna um fim em si mesmo".[16] Era óbvio que a institucionalização nesses níveis comprometeria qualquer serviço ao Senhor. O desafio, entretanto, era pensar em uma postura não polarizada de tipo anárquica, tão idólatra e equivocada quanto o institucionalismo.

Em vez de oscilar entre estruturas mínimas ou máximas, no L'Abri mantinham-se estruturas suficientes para o novo tipo de trabalho relacional que Schaeffer procuraria desenvolver. Dedicar-se a ouvir com compaixão, aprender e, na medida do possível, responder às perguntas de cada geração, era um trabalho que demandava dinâmicas e processos específicos. A forte ênfase na hospitalidade e, principalmente, nos detalhes da vivência em comunidade, eram pilares incontornáveis para o tipo de serviço ali prestado.

Beleza da Igreja para o mundo

No L'Abri, Schaeffer queria explorar a beleza dos relacionamentos humanos. O que ele descobriu em seus dias de crise espiritual foi que a obra consumada de Cristo tinha a capacidade de comunicar, mesmo que momentânea e imperfeitamente, a beleza da verdade e do caráter do Deus e Pai de Jesus. E "beleza" aqui não é, de forma algum, um conceito usado de maneira negligente. "Falo agora sobre a beleza e escolhi essa palavra com cuidado. Eu poderia chamar de amor, mas rebaixamos tanto a palavra que não raro ela perde o sentido. Então eu uso a palavra beleza. Deve haver beleza, beleza observável, para que o mundo veja como todos os verdadeiros cristãos se tratam."[17]

Uma parte inegociável da vocação dos cristãos é usar a inteligência que Deus lhes concedeu de maneira a gerar beleza visível nas relações interpessoais. Se muita capacidade intelectual é despendida na formulação de teorias sem desdobramentos relacionais harmônicos, uma dimensão de nossa formação espiritual está sendo desprezada. James K. A. Smith está correto quando argumenta que "o amor é uma condição para o conhecimento. Eu não conheço para amar; em vez disso: amo para conhecer".[18] É claro que amor, aqui, não pode ser definido apenas como sentimentos ou qualquer expressão de afeição. Antes, diz respeito ao que é próprio do coração do ser humano.

Tudo isso nos ajuda a entender que, quando Schaeffer reconhece que "não há nada mais feio no mundo todo, nada mais desanimador para as pessoas que a ortodoxia morta", ele está dizendo que a ortodoxia dos relacionamentos não pode ser preterida pela ortodoxia doutrinária. "Eu enfatizo: caso não demonstremos beleza na forma como tratamos uns aos outros, então, aos olhos do mundo e aos olhos de nossos filhos, estaremos destruindo a verdade que proclamamos."[19]

O desafio pela beleza das relações com os diferentes cai em nossa cabeça como uma bigorna. Em poucos períodos da história recente se tornou tão evidente como os cristãos não sabem lidar com aqueles que pensam diferente. As redes sociais revelaram como vivemos dias sentimentais, onde todo tipo de revolucionismo é proclamado, mas nenhum dos ativistas virtuais é capaz de conviver diária e pessoalmente com aqueles que não pensam como ele. Isso é uma tragédia ética no âmbito da inteligência.

Aos jovens que desejam uma revolução, Schaeffer diz que não se pode ser revolucionário apenas por um gesto pequeno, como deixar o cabelo ou a barba crescer. "Para ser um verdadeiro revolucionário, é preciso se envolver com uma verdadeira revolução, na qual você é posto em oposição a todos os que se afastaram de Deus e de sua revelação proposicional aos homens e até mesmo contra aquele que adota um discurso vazio sobre Deus."[20] Sem o conhecimento verdadeiro de quem Deus é e de quem é o ser humano, a beleza das relações permanece intocada.

As formulações intelectuais que encontramos nas páginas de Slavoj Žižek, Roger Scruton, Angela Davies ou René Girard não são revolucionárias o suficiente. Elas se mantêm na superfície por não fazerem do núcleo essencial da existência humana o objeto de sua investigação. A oposição que Schaeffer menciona não é meramente de teorias revolucionistas, mas da direção fundamental do coração, que só pode estar virado para Deus ou em rebeldia a ele. Apenas quando levarmos essa dimensão a sério, estaremos diante de uma revolução capaz de devolver-nos a esperança de bons resultados.

A beleza dos relacionamentos, que tem condições de demonstrar ao mundo que nos observa o caráter e a verdade de Deus, nos impõe o desafio de abandonar a superficialidade de formulações intelectuais resultantes de uma formação espiritual fraca, pois tais formulações não conseguem gerar relações interpessoais abençoadoras. As pessoas, mas acima de tudo nossos filhos e filhas, estão nos observando para encontrar coerência, e é por isso que precisamos ser capazes de manter relações com quem difere de nós e estar habilitados a manter um diálogo que vai muito além da oposição de ideias, mas que aponta para a direção do coração das pessoas e para sua rebeldia ao senhorio de Cristo.

Então, trata-se apenas de palavras bonitas para evitar discussões importantes sobre doutrina, que separaram irmãos de irmãs, pais de filhos e amigos de amigos? De maneira nenhuma. É bonito observar que, quase vinte e cinco anos depois, Schaeffer prosseguia discordando de Karl Barth, mas, com certeza, sua relação com o teólogo suíço seguia por trilhos bem diferentes.

> E o que dizer sobre os teólogos liberais? Sim, devemos nos opor à sua teologia. Devemos praticar a verdade, sem fazer concessões. Devemos insistir na antítese à sua teologia. No entanto, mesmo que não possamos cooperar com eles no aspecto religioso, devemos tratar os teólogos liberais de tal maneira que tentemos, de nossa parte, levar o debate para o círculo de relacionamento verdadeiramente humano. Podemos fazer essas duas coisas com nossa força? Não. Mas, no poder do Espírito Santo, isso pode ser feito. Podemos ter a beleza das relações humanas, mesmo quando precisamos dizer não. [21]

Conclusão

Uma longa obediência em uma mesma direção

Em 1827, o conselho administrativo da Universidade Yale convocou uma reunião com seus coordenadores e professores para pensar nos rumos educacionais. A instituição centenária já estava consolidada no cenário educacional americano e mais recentemente vinha sofrendo pressões para modernizar-se. As universidades na Europa, seguindo principalmente os modelos alemães de pesquisa e ensino superior, passaram a ditar o tom do ritmo de trabalho acadêmico em todo o mundo. As palavras de ordem agora eram *inovação* e *profissionalização*. Quem não se adaptasse, sucumbiria rapidamente.

Essa modernização da Universidade Yale significava, dentre outras coisas, o abandono de preferências educacionais cristãs, em prol de novas tendências do mercado de trabalho e da inovação científica. Se você tiver a curiosidade de pesquisar, verá que o brasão de Yale tem as palavras hebraicas *urim* e *tumim* e os termos *luz* e *verdade* em latim, porque o ensino das línguas bíblicas, como o hebraico, era parte do currículo comum de todos os alunos. Isso significa que ela foi fundada com a preocupação de dar uma formação cristã erudita aos alunos, em oposição às universidades que estavam se secularizando em nome da modernidade — como aconteceu, por exemplo, com a Universidade Harvard.[1] Como Yale, ela também teve um nascedouro cristão, mas em 1869 seu novo presidente, Charles Eliot, assumiu para si o desafio de colocar-se no curso da inovação e expansão em que as novas universidades já estavam inseridas.

Mark A. Noll argumenta que poucas transições históricas foram mais importantes para o pensamento evangélico na América do Norte que a reorganização do ensino superior no final do século 19, pois "foi um testemunho de que o domínio dos evangélicos na vida universitária daquela época como árbitros intelectuais da nação estava sendo totalmente deslocado".[2] Em outras palavras, o que aconteceu em Yale não foi um caso pontual. O final dos anos 1800 foi decisivo para a reconfiguração do trabalho intelectual na igreja da América do Norte, que inquestionavelmente também influenciaria os rumos do pensamento evangélico brasileiro.

As mudanças no processo de formação intelectual

Ao que parece, o que está no centro dessa transformação é o deslocamento irreversível do lugar que os evangélicos ocupavam na tradição intelectual. Sabemos que a colonização protestante foi um fator importantíssimo para os primeiros séculos da nação americana. Foram os puritanos e seus descendentes que plantaram as igrejas, as escolas, as universidades e demais instituições da sociedade civil americana. No entanto, a partir de uma série de mudanças que ocorreram nos centros de ensino superior, os evangélicos perderam a força intelectual para sempre nos Estados Unidos.

Essa transição de foco, de uma formação cristã erudita para uma formação antenada nas inovações, significava pelo menos duas coisas. Primeiro, o novo plano pedagógico contemplava escolas de graduação profissionais. Nessa época, antes da mudança, as disciplinas formavam um núcleo de formação integral e, com a mudança de foco, foram separadas e compartimentalizadas em faculdades específicas. Dentro da mesma universidade, passaram a conviver faculdades de medicina, de direito e de teologia, por exemplo.

Em Yale, a graduação que Jonathan Edwards recebeu no começo do século 18 foi absolutamente diferente do curso de teologia que a Escola de Divindade de Yale passou a oferecer no final do século 19. A preocupação agora era formar profissionais. Um médico não precisava saber teologia, hebraico ou filosofia. Passou-se a crer que ele necessitava apenas de conhecimentos técnicos de sua área. O mesmo valia para o advogado, o engenheiro e até para o teólogo. Se o estudante estava sendo preparado para se tornar pastor ou líder de igreja, não havia por que, no entendimento da instituição, aprender conhecimentos gerais — ele teria, isto sim, de receber uma formação técnica em teologia cristã e administração eclesiástica.

Segundo, o maior volume de financiamento dessa explosão acadêmica de novos cursos e faculdades dentro da universidade não veio das comunidades cristãs. Originalmente, eram as igrejas que forneciam os recursos financeiros para o empreendimento educacional superior nos Estados Unidos. Com o interesse em inovação e desenvolvimento, novas redes de financiamento foram conectadas dentro da sociedade, diminuindo ainda mais o espaço de influência da igreja nos rumos educacionais do país.

Cada vez mais, pastores, líderes e discípulos de Cristo influentes na sociedade eram menos importantes na reconfiguração do processo de formação dos novos profissionais da sociedade americana. Na mesma proporção que o fluxo de dólares advindos das comunidades cristãs foi diminuindo, as preocupações com a ortodoxia das faculdades também foram desaparecendo. A nova geração de administradores simplesmente não estava preocupada com a proximidade entre o conteúdo de seus cursos e a cosmovisão cristã. Desde que novos alunos preenchessem, anualmente, as vagas oferecidas, nenhuma preocupação espiritual pairava sobre a formação intelectual americana.

É claro que esse empreendimento de modernização também gerou um processo de empobrecimento da educação. Os novos objetivos para os quais se formavam os alunos não só mudaram os conteúdos, mas também ditaram um novo ritmo para a vida intelectual. Preencher todas as vagas profissionais de um emergente mercado de trabalho urbano exigia velocidade na formação dos novos graduados na universidade. Nesse processo, a velocidade necessária para a formação intelectual foi comprometida, e justamente nesse cenário foi elaborado o relatório dos professores e diretores da Universidade Yale sobre as dimensões de tais mudanças. Apesar de ser um documento bastante antigo, permanece relevante para nós, dada a lucidez sobre a dinâmica da formação intelectual:

> Talvez tenha chegado o momento em que devemos parar e indagar se promover mudanças graduais será suficiente, como o foi até aqui, e se não é preferível desmantelar todo o sistema e substituí-lo, criando um sistema melhor em seu lugar. De diversos lugares temos ouvido a insinuação de que nossas faculdades devem ser remodeladas; de que não estão adaptadas ao espírito e às necessidades desta época; que logo será abandonada, a menos que se ajuste ao caráter empresarial da nação. [...] Um plano de estudo pode ser muito útil para um propósito específico, mas pode não ser adequado para outros propósitos diferentes. [...] A base de uma educação meticulosa e completa deve ser

ampla, profunda e sólida. [...] Tudo isso não se alcançará com uma grade curricular leve e apressada; com a leitura de uns poucos livros, a participação em umas poucas palestras, e uns poucos meses de assiduidade a uma instituição acadêmica. Os hábitos de pensamento devem ser formados por dedicação prolongada, contínua e minuciosa. As jazidas da ciência precisam ser escavadas até muito abaixo da superfície para que comecem a revelar seus tesouros.[3]

As três marcas que deveriam caracterizar a formação intelectual — amplitude, profundidade e solidez — foram substituídas por grades curriculares leves e apressadas, pela leitura de poucos livros e pela participação mínima nas faculdades, em decorrência das novas demandas profissionais e tecnológicas. A soberania da esfera educacional não foi respeitada e princípios de outro âmbito da vida tornaram-se os parâmetros para avaliar o sucesso ou o fracasso das instituições educacionais. O mercado e o caráter empresarial que as nações estavam assumindo transformaram os moldes da educação, forçando professores e alunos a se adaptarem ao espírito da época. O cultivo da inteligência rigorosa e criativa, que conseguia estabelecer relações entre a criação divina e o trabalho humano, foi substituído pela nacionalidade instrumental regida exclusivamente pelas leis de mercado, segundo as quais só é desejável aquilo que dá lucro. A geração de riqueza intelectual sucumbiu à mera geração de riqueza econômica.

O fim dessa história? A Universidade Yale não resistiu às pressões e acabou fraturando o seu currículo erudito e pautado em preocupações cristãs para atender às tendências do espírito do seu tempo. As pessoas não estavam mais preocupadas se seus filhos conseguiriam ler a Bíblia nas línguas originais; antes, queriam que se tornassem médicos, engenheiros e advogados bem-sucedidos, segundo os novos padrões de consumo e de mercado. A densa trajetória necessária para usar o cérebro para a glória de Deus perdeu lugar para a formação ligeira, que nos ajuda a ganhar dinheiro e sobreviver no mercado de trabalho.

A velocidade necessária para a formação intelectual

Estou consciente de que é controversa a importância das línguas bíblicas originais na formação superior de um aluno das universidades atuais. Trata-se de uma matéria de debate realmente flexível. Não quero concluir este livro com um apelo ao retorno utópico à educação do século 18. No entanto, é absolutamente inegociável este fator que está em jogo nessa alteração do processo de formação intelectual moderno e contemporâneo: a velocidade necessária para consolidar a trajetória do uso do cérebro para a glória de Deus.

O que testemunhamos na virada do século 19 não foi apenas uma modificação no currículo dos cursos superiores. Na verdade, foi o contrário. O novo ritmo industrial de desenvolvimento e inovação que as sociedades começavam a experimentar é que transformou as grades curriculares. Hoje, dois séculos depois, estamos colhendo as consequências psicológicas desse ritmo alucinante na saúde mental de nossos estudantes, como também os desdobramentos de tal ritmo traduzidos na superficialidade da inteligência da Igreja.

Diante de tudo isso, gostaria de concluir dizendo que o processo de assimilação de tudo o que foi escrito neste livro leva muito tempo. Não basta a leitura apressada do texto em uma consulta ligeira das citações presentes nas páginas desta obra. Existe uma disciplina espiritual de meditação prolongada sobre o que foi escrito aqui e como tudo nos desafia a mudar de vida. Não podemos simplesmente terminar um livro e continuar vivendo como se não o tivéssemos lido. Minha conclusão é que, para utilizar o cérebro para a glória de Deus, precisamos de uma longa obediência na mesma direção.

Essa expressão veio ao público evangélico pela primeira vez por meio de Eugene Peterson. Em sua obra *Uma longa obediência na mesma direção,* ele convida seus leitores a pensar os desafios do discipulado em uma sociedade acostumada a velocidade, superficialidade e fenômenos instantâneos. Peterson observa que se estabeleceu entre os cristãos a mentalidade cultural de que apenas as coisas adquiridas de imediato valem a pena, e isso prejudicou profundamente sua formação como discípulos de Jesus. O que domina o estado de ânimo de nossas igrejas é o pouco entusiasmo pela paciente aquisição de virtude e a pouca vontade de dedicar-se a uma longa aprendizagem daquilo que gerações cristãs anteriores chamavam de santidade. "Alguns, com inclinações para entretenimento religioso e diversão sagrada, planejam a vida em torno de eventos especiais como retiros, concentrações e conferências."[4]

Eugene Peterson escreveu contra essa cultura do *fast food* evangélico, em que pastores e líderes se transformam em animadores de auditório e reis do entretenimento "sagrado", de modo a não haver nenhuma diferença entre ir a uma apresentação de *stand up comedy* e a um culto evangélico. Ele convida seus leitores a reconhecerem que a formação verdadeira de um discípulo de Jesus exige tempo e obediência. E essa obediência, ressalta, não pode ser momentânea, esporádica e assistemática; antes, é necessário aprender a obedecer a Jesus por muito tempo e de forma ampla, profunda e sólida.

O que mais me chama atenção nessa obra de Peterson é que essa frase sobre a longa obediência vai na mesma direção da expressa por um filósofo muito crítico da fé cristã: Friedrich Nietzsche:

> O essencial, "no céu como na terra", ao que parece, é, repito, que se obedeça por muito tempo e numa direção. [...] A prolongada sujeição do espírito, a desconfiada coerção na comunicação dos pensamento, a disciplina que se impôs ao pensador, a fim de pensar sob uma diretriz eclesiástica ou cortesã ou com pressupostos aristotélicos, a duradoura vontade espiritual de interpretar todo acontecimento segundo um esquema cristão e redescobrir e justificar o Deus cristão em todo e qualquer acaso — tudo o que há de violento, arbitrário, duro, terrível e anti-racional, nisso revelou-se como o meio através do qual o espírito europeu viu disciplinada sua força, sua inexorável curiosidade e sutil mobilidade.[5]

Qualquer aluno de um curso introdutório ao pensamento de Nietzsche sabe que o filósofo não é um daqueles pensadores que pode ser facilmente adaptado e assimilado para interesses cristãos. Eu demorei um pouco a entender o que Eugene Peterson quis com essa citação de Nietzsche e cheguei a pensar que o pastor havia se enganado a respeito do filósofo alemão. Isso porque está claro nessa citação que Nietzsche critica qualquer projeto moral (como é o cristão) justamente por ele ser "uma longa obediência em uma mesma direção".

Para Nietzsche, esse é um sinal de fraqueza, um sinal de que não conseguimos ser criativos e inteligentes para pensar novas formas de viver e de criar que não sejam a repetida obediência a princípios morais "caducos". Ele achava a forma de vida cristã sinônimo de escravidão e adoecimento do homem. Obediência unidirecionada perene só produziria, para Nietzsche, homens e mulheres fracos.

Por tudo isso, estranhei muito Peterson utilizar-se de Nietzsche para defender a profundidade necessária à formação de um discípulo cristão. No entanto, com o passar do tempo, compreendi o que o autor quis dizer. É como se estivesse dizendo: "Nietzsche está certo. O filósofo alemão não errou ao identificar a longa obediência em uma mesma direção quando comparada com o aspecto central na formação de todo espírito cristão na Europa. Realmente Nietzsche está certo em dizer que toda a capacidade de interpretar os acontecimentos que nos rodeiam segundo o esquema da cosmovisão cristã não é possível sem uma longa obediência. Ele identificou de fato o ponto central para disciplinar nossa força espiritual e que deve ser colocada a serviço do Deus e Pai de nosso Senhor Jesus".

O erro de Nietzsche foi não concordar com isso, e achar que essa disciplina era fraqueza, em vez de não força. Equivocou-se com as próprias capacidades, acreditando que seria possível produzir algo de bom na vida sem aprender a obedecer ao Senhor por meio de um processo longo e sistemático. Nesse sentido, Peterson concorda com Nietzsche à revelia do próprio Nietzsche. O pastor utiliza o filósofo para nos ensinar que, sem tempo, disciplina, rigor e vagar, será impossível aprender a usar o cérebro para a glória de Deus.

O futuro católico da igreja evangélica

Como consequência da necessária obediência numa mesma direção, os discípulos de Jesus precisam manter um diálogo estreito com a grande herança que lhes foi deixada pela tradição cristã. Peterson colocou como resultado da aceleração do ritmo de vida dos seguidores de Jesus o desinteresse em dedicar-se ao longo aprendizado daquilo que gerações cristãs anteriores alcançaram em termos de sabedoria e virtude. Em poucas palavras, falta catolicidade à igreja evangélica.

Quando me refiro a catolicidade, é importante ressaltar que não se trata da Igreja Católica Apostólica Romana. Com todo o respeito aos seus membros, catolicidade não é sinônimo de romanismo. O termo "católico", quando aplicado à Igreja de Jesus, refere-se à sua dimensão universal, holística, total. Nesse sentido, dizer que a igreja de Roma é *a* Igreja católica, é uma contradição de termos. Se nossas comunidades de fé se mantêm fiéis, elas são católicas e apostólicas. Isso significa dizer que encontram os fundamentos na doutrina dos apóstolos e na universalidade da Igreja dos santos de todos os tempos.[6] Dentre as muitas implicações desses conceitos está o nosso constante contato com a sabedoria produzida pelos cristãos em diferentes período da História. A falta de profundidade intelectual dos discípulos de Jesus de nossos dias só será superada se eles se aprofundarem no conhecimento da tradição cristã.

Quem demonstrou recentemente essa necessidade foi James K. A. Smith ao defender que uma das maiores urgências para os membros das igrejas evangélicas, no sentido de cultivar a inteligência que glorifique a Deus, é assumirem a catolicidade da Igreja. Segundo ele, o melhor para o futuro da mente evangélica é deixar de imaginar que existe uma mente claramente evangélica. "De fato, podemos sugerir que o melhor futuro para a mente evangélica é católico. Isso não significa um desejo oculto por Roma ou um complexo de inferioridade Protestante que nos faz mergulhar os pés no rio Tibre. Roma não possui catolicidade." O evangelicalismo é cada vez mais um termo vazio e inútil quando se trata de identificar tradições, recursos e práticas relevantes para cultivar a presença intelectual fiel, criativa e crítica. "A afirmação mais forte — que de fato considero o ponto central de Noll — consiste em que aquilo que é identificado como evangelicalismo e como a ele pertinente não é suficiente para subscrever um testemunho intelectual robusto".[7]

Quando Smith nos provoca a abrir mão de buscar marcas intelectuais distintivamente evangélicas e a trilhar um caminho rumo à inteligência católica, ele faz coro tanto com Eugene Peterson quanto com Mark Noll no que diz respeito à erudição que precisamos alcançar. É claro que não se trata de erudição por erudição. Em vez disso, seu convite é para nos apropriarmos das estruturas intelectuais que a Igreja de Jesus construiu nos últimos dois milênios, em vez de insistir em buscar construir versões *gospel* de todos os ramos do saber e da cultura. "Evangélico" é um conjunto muito pequeno de conceitos quando o desafio é alimentar com erudição o cérebro que Deus nos concedeu. Muitas contribuições ficariam de fora se nos mantivéssemos estritos ao rótulo do que o evangelicalismo produziu. Em síntese, o que Smith nos sugere é que a renovação da igreja evangélica, não só a brasileira ou a americana, passa necessariamente pela redescoberta da tradição intelectual católica.

De certa forma, o próprio Mark Noll, anos depois de escrever sobre a mente evangélica, também percebeu tal necessidade. O resultado foi a publicação de um segundo livro sobre o mesmo tema, mas agora com uma abordagem distintamente católica. Nele, Noll defende que a igreja cristã contemporânea deve buscar sua caixa de ferramentas intelectuais nas formulações conceituais que a igreja antiga escreveu sobre quem é Jesus, porque, se os evangélicos querem fazer uma contribuição genuinamente cristã à vida intelectual, "devem fundamentar a fé na grande tradição da teologia cristã clássica, pois essas são as tradições que revelam a grandeza e a profundidade de Jesus Cristo. Intelectualmente, não há outro caminho".[8]

Em outras palavras, todo o livro é uma tentativa de mostrar como o Credo Apostólico, o Credo de Niceia, o Credo de Caledônia e as confissões de fé católicas da Igreja são ferramentas insubstituíveis para a vida intelectual dos cristãos. É como se Noll prosseguisse sua reflexão sobre a mente evangélica mas concluindo que esta deveria ser nicênica, calcedônica ou, simplesmente, católica. É nas formulações dos credos e das confissões de fé históricas produzidas pela Igreja que os cristãos deveriam encontrar o seu ambiente intelectual natural.

Tudo isso poderia ser dito de uma forma ainda mais simples. É como se estivéssemos concluindo que a igreja evangélica precisasse de uma inteligência mais protestante. James K. A. Smith argumenta que ninguém foi mais católico do que os reformadores. Sua investida de reforma para a igreja visava, tão somente, que ela deixasse de ser romana e voltasse a ser católica. Nesse sentido, ser genuinamente protestante é a melhor forma para os evangélicos serem católicos.

Essa conclusão se assemelha à de Carl Trueman. Dando um passo além quando endossa aspectos da crítica de Noll à mente evangélica, ele conclui que a grande necessidade intelectual dos discípulos de Jesus é o diálogo com a grande tradição. Para Trueman, o verdadeiro escândalo da mente evangélica em nossos dias não é o fato de essa mente inexistir, mas de não haver nenhum acordo sobre o evangelho. "Até que reconheçamos que é esse o caso — até que possamos concordar sobre o que exatamente constitui o evangelho —, todos continuarão a falar sobre o evangelicalismo como um movimento real e coerente, que provavelmente será pouco mais que uma quimera, ou um truque com fumaça e espelhos."[9]

Fica evidente que a superficialidade teológica e intelectual que caracteriza nossas igrejas nunca conseguirá produzir homens e mulheres capazes de assumirem a dianteira da vida intelectual em sua cultura. Se os discípulos de Jesus querem realmente usar o cérebro de maneira que glorifique o Senhor, terão de desenvolver uma relação bem mais amigável com a erudição intelectual cristã.

É desnecessário dizer que, para tudo isso, não existem atalhos. Como bem escreveu James K. A. Smith, "não tenho ilusões: a estrada é longa e os obstáculos são altos".[10] No entanto, quanto mais cedo pedirmos ajuda a Deus para percorrer esse caminho, mais rápido poderemos contar com a graça do nosso Senhor Jesus para seguir pela trilha da longa obediência em uma mesma direção.

Notas

Introdução

[1] *Sem lugar para a verdade*. São Paulo: Shedd Publicações, 2017, p. 334.

[2] *A opção beneditina*. Campinas: Ecclesiae, 2018, p. 11.

[3] Chales Malik, ex-embaixador libanês nos Estados Unidos, fez essa afirmação em seu discurso de inauguração do Billy Graham Center, em 1980.

[4] William Lane Craig. *Apologética para questões difíceis da vida*. São Paulo: Vida Nova, 2010, p. 16.

Capítulo 1

[1] Mark Ware. *The STM Report: An Overview of Scientific and Scholarly Journal Publishing*. Mark Ware Consulting & Outsell, Inc. Third Edition, November, 2012.

[2] Daniel Lattier. *Why Professors Are Writing Crap that Nobody Reads*. Disponível em: <www.intellectualtakeout.org/blog/why-professors-are-writing-crap-nobody-reads>. Acesso em: 18 de dez. de 2018.

[3] Toda a história e uma severa crítica estão registradas no livro de Alan Sokal e Jean Brickmont. *Imposturas intelectuais*. Rio de Janeiro: Record, 1999.

[4] Disponível em: <http://science.sciencemag.org/content/342/6154/60.full>. Acesso em: 18 de dez. de 2018.

[5] Disponível em: <http://www.nature.com/news/brazilian-citation-scheme-outed-1.13604>. Acesso em: 18 de dez. de 2018.

[6] Essa dinâmica acontece não só no Brasil, mas pelo mundo afora. Jeroen Geurts. *Letter to My Students: Or How to Become a Good Scientist*. Amsterdam: Vesuvius Publisher, 2016, p. 11.

[7] Zygmunt Bauman. *Legisladores e intérpretes: Sobre a modernidade, pós-modernidade e os intelectuais*. Rio de Janeiro: Zahar, 2010.

[8] *The Scandal of the Evangelical Mind*. Grand Rapids: Eerdmans, 1995, p. 111-112.
[9] Idem, p. 7.
[10] *Recomendações aos jovens teólogos e pastores*. São Paulo: Vida Nova, 2014, p. 53-54.
[11] Idem, p. 50.
[12] Disponível em: <http://www.cristaosnaciencia.org.br/recursos/entrevista-com-dr-gijsbert-van-den-brink/>. Acesso em: 19 de dez. de 2017.

Capítulo 2
[1] Eric Metaxas. *Bonhoeffer: Pastor, mártir, profeta, espião*. São Paulo: Mundo Cristão, 2011, p. 136.
[2] Idem, p. 138.
[3] *The Secularization of Science*. Disponível em: <http://www.reformationalpublishingproject.com/pdf_books/Scanned_Books_PDF/SecularizationofScience.pdf>. Acesso em: 20 de dez. de 2018. Tradução do autor.
[4] Quanto a esse tema, recomendo o livro *Scientism: Prospects and Problems* (Oxford: Oxford University Press, 2018), dos professores e filósofos cristãos René van Woudenberg, Jeroen de Ridder e Rik Peels, fruto de uma longa pesquisa acadêmica desenvolvida na Universidade Livre de Amsterdã (Holanda).
[5] "Uma característica fundamental do conhecimento científico é seu caráter abstrato. Sempre que, sob a influência do iluminismo, faz-se do conhecimento científico um instrumento de controle autossuficiente e as pessoas deixam de enxergar os reducionismos implícitos nas abstrações científicas, então, por meio do uso irresponsável da ciência, essas abstrações se transformam em características culturais." In: *Fé, esperança e tecnologia: Ciência e fé cristã em uma cultura tecnológica*. Viçosa: Ultimato, 2016, p. 110-111.
[6] Herman Dooyeweerd. *The Secularization of Science*, p. 2.
[7] *Models for Relating Science and Religion*. Disponível em: <https://www.faraday.st-edmunds.cam.ac.uk/Papers.php>. Acesso em: 20 de dez. de 2018.

[8] Idem.
[9] *Dando nome ao elefante: Cosmovisão como um conceito*. Brasília: Monergismo, 2012, p. 179.
[10] *A certeza da fé*. Brasília: Monergismo, 2018, p. 65.
[11] *Dando nome ao elefante*, p. 180.
[12] *Where the Conflict Really Lies: Science, Religion and Naturalism*. Oxford: Oxford University Press, 2011, p. 13.
[13] Idem, p. 11, 13.
[14] *Ciência e religião*. São Paulo: Ideias & letras, 2014, p. 17.
[15] Idem, p. 18.
[16] Ian Barbour. *Quando a ciência encontra com a religião*. São Paulo: Cultrix, 2004, p. 28.
[17] Alvin Plantinga, *Where the Conflict Really Lies*, p. 13.
[18] *Territórios da ciência e da religião*. Viçosa: Ultimato, 2017, p. 19-20.
[19] *Fé, esperança e tecnologia*. Viçosa: Ultimato, 2016, p. 62.
[20] *O mundo perdido de Adão e Eva*. Viçosa: Ultimato, 2016, p. 17.
[21] *Fé, esperança e tecnologia*, p. 22-23.
[22] Idem, p. 25.

Capítulo 3
[1] *Fé, esperança e tecnologia*, p. 26.
[2] *Reflita*. Brasília: Monergismo, 2018, p. 18.
[3] *Fé, esperança e tecnologia* p. 27.
[4] *Reflita*, p. 22.
[5] Idem, p. 23.
[6] *Cosmovisão: A história de um conceito*. Brasília: Monergismo, 2017, p. 342.
[7] *Coração e alma*. São Paulo: Cultura Cristã, 2014, p. 33.
[8] *Antropologia do Antigo Testamento*. São Paulo: Cultura Cristã, 2008, p. 85.
[9] Idem, p. 89-90.
[10] *Transcendental Problems of Philosophic Thought: An inquiry into the transcendental conditions of philosophy*. Grand Rapids: Eerdmans, 1948, p. 30.
[11] *Philosophy of Religion (Faith)*. In: *Essays on Religion, Science and Society*. Grand Rapids: Baker Academic, 2011, p. 25-26.
[12] *Coração e alma*, p. 33-34.

[13] Disponível em: <https://cultura.estadao.com.br/blogs/direto-da-fonte/como-ter-uma-boa-saude-emocional/>. Acesso em: 9 de jan. de 2019.

[14] A raiz do termo grego usado por Paulo, *allassó*, apresenta a ideia de troca por algo "da mesma natureza", isto é, o ser humano não consegue abrir mão de sua natureza adoradora. Seu coração adora naturalmente — ou o Deus e Pai de nosso Senhor Jesus Cristo ou qualquer outra coisa da realidade criada. Ele não é capaz de não adorar. Para aprofundar-se nos temas de cosmovisão, veja o livro de Guilherme de Carvalho, et. al. *Cosmovisão cristã e transformação*. Viçosa: Ultimato, 2006.

[15] *Você é aquilo que você ama*. São Paulo: Vida Nova, 2016, p. 2.

[16] *A renovação do coração*. São Paulo: Mundo Cristão, 2002, p. 15.

[17] Idem, p. 16.

[18] *Antropologia filosófica cristã: Uma perspectiva reformacional*. Disponível em: <http://www.cristaosnaciencia.org.br/content/uploads/Antropologia-filosofica-crista-Gerrit-Glas.pdf>. Acessado em: 9 de jan. de 2019.

[19] São Paulo: Vida Nova, 2017, p. 39, 42-43.

[20] *Fé, esperança e tecnologia*, p. 27-28.

[21] *New Critique of Theoretical Thought*. Grand Rapids: Paideia Press/Reformational Publishing Project, 2016, p. v.

Capítulo 4

[1] *A certeza da fé*. Brasília: Monergismo, 2018, p. 28-30.

[2] Idem, p. 29.

[3] *The Christian Approach to Science*. Hamilton: Association for Reformed Scientific Studies, 1966, p. 30

[4] Idem, p. 33

[5] *História do pensamento ocidental*. São Paulo: Nova Fronteira, 2012, p. 9-10.

[6] *No crepúsculo do pensamento ocidental*. São Paulo: Hagnos, 2010, p. 49-50.

[7] *A certeza da fé*, p. 36.

[8] Cf. Isaías 28.16; 1Pedro 2.6-8.

[9] *No crepúsculo do pensamento: Estudos sobre a pretensa autonomia do pensamento filosófico*. São Paulo: Hagnos, 2010, p. 81
[10] *Obra do Espírito Santo*. São Paulo: Cultura Cristã, 2011, p. 312
[11] Idem, p. 331-332.
[12] *Filosofia e Estética*. Brasília: Monergismo, 2018, p. 21.

Capítulo 5

[1] Apesar de ser uma importante referência para a vida intelectual cristã, Agostinho de Hipona cometeu o equívoco de transformar a teologia em filosofia cristã. Quem fez essa crítica foi Dooyeweerd, quando argumentou: "A tentativa de Agostinho de buscar um acomodamento e uma síntese levou-o a elaborar isso de modo inaceitável. A filosofia, não reformada intrinsecamente, não podia, portanto, desenvolver-se de maneira independente, mas teve de sujeitar-se ao controle da teologia dogmática. As questões filosóficas deveriam ser tratadas apenas dentro de um quadro teológico de referência. Agostinho procurou cristianizar a filosofia nesse sentido, como se a teoria teológica e a religião cristã fossem idênticas. [...] O exemplo de Agostinho demonstra claramente como, até mesmo num importante pai da igreja, o poder espiritual do motivo básico grego operava como uma perigosa contracorrente ao motivo básico da revelação. Não é correto ocultar esse fato por amor e respeito a Agostinho. Falar das questões que Agostinho não deveria ter seguido, não é, necessariamente, depreciá-lo. É uma questão urgente para nós, de maneira aberta e independentemente de quem está envolvido, tomarmos partido quanto a esta questão: reforma ou acomodação. Essa questão domina a vida cristã de hoje. Apenas o motivo básico da revelação cristã pode nos dar resposta correta". *Raízes da cultura ocidental*. São Paulo: Cultura Cristã, 2015, p. 134-135.
[2] *No crepúsculo do pensamento: Estudos sobre a pretensa autonomia do pensamento filosófico*. São Paulo: Hagnos, 2010, p. 177-178.
[3] Idem, p. 183.
[4] Idem, p. 188.
[5] Idem, p. 200.
[6] São Paulo: Vida Nova, 2017, p. 14.

[7] *New Critique of Theoretical Thought*. Grand Rapids: Paideia Press/ Reformational Publishing Project, 2016, p. 156-157.

[8] Idem, p. 157-158.

[9] Idem, p. 160.

[10] *A History of Western Philosophy and Theology*. Nova Jersey: P&R Publishing, 2015, p. 91.

[11] *Teologia pura e simples*. Viçosa: Ultimato, 2010, p. 23.

[12] Idem, p. 23.

[13] *No crepúsculo do pensamento*, p. 198-199.

[14] *How Not to Be Secular*. Grand Rapids: Eerdmans, 2014, p. 19.

[15] *Teologia e teoria social*. São Paulo: Loyola, 1990, p. 12.

[16] *As Institutas*. São Paulo: Cultura Cristã, 2011, p. 41.

[17] *No crepúsculo do pensamento*, p. 184.

[18] Idem, p. 188.

Capítulo 6

[1] Disponível em: <https://postbarthian.com/2016/04/02/karl-barths-letter-to-francis-schaeffer/>. Acessado em: 18 de jan. de 2019.

[2] *Francis Schaeffer e a vida cristã*. São Paulo: Cultura Cristã, 2019, p. 47.

[3] Idem, p. 56-57

[4] *Verdadeira espiritualidade*. São Paulo: Cultura Cristã, 2008, p. 9.

[5] Idem, p. 11.

[6] *Não há gente sem importância*. São Paulo: Cultura Cristã, 2003, p. 32.

[7] Disponível em: <https://allenporto.com/o-curioso-caso-da-carta-de-karl-barth-a-francis-schaeffer-e8f899eb56e9> Acessado em: 5 de fev. de 2019.

[8] *Verdadeira espiritualidade*, p. 17.

[9] *Letters* of *Francis A. Schaeffer: Spiritual Reality in the Personal Christian Life*. Wheaton: Crossway, 1990, p. 49-50.

[10] *O peso de glória*. São Paulo: Vida, 2012, p. 134.

Capítulo 7

[1] *Letters of Francis A. Schaeffer*, p. 48.

[2] *25 Estudos bíblicos básicos*. Brasília: Monergismo, 2015, p. 163-164.

[3] *O Deus que intervém*. São Paulo: Cultura Cristã, 2003, p. 245.

[4] Idem, p. 253.
[5] Idem, p. 252-253.
[6] *Verdadeira espiritualidade*, p. 47-48.
[7] *O Espírito das disciplinas espirituais*. Rio de Janeiro: Habacuc, 2003, p. 96.
[8] *Não há gente sem importância*, p. 151.
[9] *A Arte Moderna e a Morte da Cultura*. Viçosa: Ultimato, 2015, p. 29, 38.
[10] Idem, p. 31-33.
[11] *25 Estudos bíblicos básicos*, p. 156.
[12] Idem, p. 158-159.
[13] *Raízes da cultura ocidental*, p. 18-19.
[14] *Não há gente sem importância*, p. 22.
[15] *Letters of Francis A. Schaeffer: Spiritual Reality in the Personal Christian Life*. Wheaton: Crossway, 1990, p. 62.
[16] Idem, p. 44.
[17] *25 Estudos bíblicos básicos*, p. 168-169.
[18] *Você é aquilo que ama*, p. 26.
[19] *25 Estudos bíblicos básicos*, 168.
[20] *Não há gente sem importância*, p. 37.
[21] *25 Estudos bíblicos básicos*, p. 167.

Conclusão

[1] *A educação superior e o resgate intelectual: O relatório de Yale de 1828*. Campinas: Vide Editorial, 2016.
[2] *The Scandal of the Evangelical Mind*, p. 110.
[3] *A educação superior e o resgate intelectual: O relatório de Yale de 1828*, p. 34-37.
[4] São Paulo: Cultura Cristã, 2005, p. 12.
[5] *Além do bem e do mal*. São Paulo: Companhia das Letras, 2005, p. 77.
[6] Para mais detalhes sobre esse tema, recomendo nosso livro *Igreja sinfônica*, em especial o capítulo de Guilherme de Carvalho sobre a catolicidade da Igreja. São Paulo: Mundo Cristão, 2016.
[7] "The Future is Catholic: the Next Scandal of Evangelical Mind". In. Todd C. Ream. *The State of The Evangelical Mind*. Westmont: IVP Academic, 2018, p. 156.

[8] *Jesus Christ and the Life of Mind.* Grand-Rapids: Eerdmans, 2011, p. 22.
[9] *The Real Scandal of Evangelical Mind,* p. 44.
[10] "The Future is Catholic", p. 159.

Sobre o autor

Pedro Dulci é filósofo e pastor presbiteriano. Tem graduação em Teologia pelo Seminário Presbiteriano Brasil Central e é doutorando em Filosofia pela Universidade Federal de Goiás, com um período de estudos na Universidade Livre de Amsterdã (Holanda). É pastor da Igreja Presbiteriana Bereia, capelão do Instituto Presbiteriano de Educação e professor de Filosofia no Seminário Presbiteriano Brasil Central, em Goiânia (GO). É casado com Carolinne e pai de Benjamim.

Compartilhe suas impressões de leitura,
mencionando o título da obra, pelo e-mail
opiniao-do-leitor@mundocristao.com.br
ou por nossas redes sociais

Esta obra foi composta com tipografia Palatino
e impresso em papel Polen Soft 80 g/m² na gráfica Assahi